suhrkamp t

Martin Walser, 1927 in Wasserburg (Bodensee) geboren, lebt heute in Nußdorf (Bodensee). 1957 erhielt er den Hermann-Hesse-Preis, 1962 den Gerhart-Hauptmann-Preis und 1965 den Schiller-Gedächtnis-Förderpreis. 1981 wurde Martin Walser mit dem Georg-Büchner-Preis ausgezeichnet. Sein Werk im Suhrkamp Verlag ist auf Seite 154 dieses Bandes verzeichnet.

Ein fliehendes Pferd ist die Geschichte einer Viereckskonstellation. Der Zufall führt zwei Ehepaare an einem Ferienort am Bodensee zusammen. Die Männer, Endvierziger, waren Schul- und Studienfreunde. Helmut Halm, der behäbige Lehrer, erwartet nichts mehr vom Leben. Klaus Buch hingegen jagt von einer Tätigkeit zur nächsten, bestimmt auch bald das Programm gemeinsam zu verbringender Ferientage. Voll Unlust beginnt Helmut, die gemeinsamen Erinnerungen anzuerkennen, und nur einmal bewundert er Klaus Buch ohne Vorbehalt: ein Pferd rast ihnen entgegen, der Bauer kann es nicht halten. Doch als es am Wiesenrand stehenbleibt, nähert Buch sich ihm, springt auf, noch ehe das Pferd davongaloppieren kann. Aber die Kluft zwischen den Jugendfreunden beginnt wieder zu wachsen. Bis beide, eines Nachmittags, im Segelboot sitzen. Ein Unwetter kommt auf. Es wird ein Kampf zwischen dem das Leben auf jede Weise ausbeutenden Klaus Buch und dem dieses Leben seiner Flüchtigkeit wegen fliehenden Helmut Halm.

»Martin Walsers Novelle *Ein fliehendes Pferd* halte ich für sein reifstes, sein schönstes Buch. Diese Geschichte zweier Ehepaare ist ein Glanzstück deutscher Prosa unserer Jahre.«

Marcel Reich-Ranicki, FAZ

Martin Walser
Ein fliehendes Pferd

Novelle

Suhrkamp

Umschlagmotiv: Aquarell von Alissa Walser

suhrkamp taschenbuch 600
Erste Auflage 1980
© Suhrkamp Verlag Frankfurt am Main 1978
Suhrkamp Taschenbuch Verlag
Alle Rechte vorbehalten, insbesondere das
des öffentlichen Vortrags, der Übertragung
durch Rundfunk und Fernsehen
sowie der Übersetzung, auch einzelner Teile.
Druck: Ebner Ulm · Printed in Germany
Umschlag nach Entwürfen von
Willy Fleckhaus und Rolf Staudt

21 22 23 24 25 – 02 01 00 99 98

Für Franziska

»Man trifft zuweilen auf Novellen, in denen bestimmte Personen entgegengesetzte Lebensanschauungen vortragen. Das endet dann gerne damit, daß der eine den andern überzeugt. Anstatt daß also die Anschauung für sich sprechen muß, wird der Leser mit dem historischen Ergebnis bereichert, daß der andre überzeugt worden ist. Ich sehe es für ein Glück an, daß in solcher Hinsicht diese Papiere eine Aufklärung nicht gewähren.«

Sören Kierkegaard, *Entweder/Oder*

1.

Plötzlich drängte Sabine aus dem Strom der Promenierenden hinaus und ging auf ein Tischchen zu, an dem noch niemand saß. Helmut hatte das Gefühl, die Stühle dieses Cafés seien für ihn zu klein, aber Sabine saß schon. Er hätte auch nie einen Platz in der ersten Reihe genommen. So dicht an den in beiden Richtungen Vorbeiströmenden sah man doch nichts. Er hätte sich möglichst nah an die Hauswand gesetzt. Otto saß auch schon. Zu Sabines Füßen. Er sah aber noch zu Helmut herauf, als wolle er sagen, er betrachte sein Sitzen, so lange Helmut sich noch nicht gesetzt habe, als vorläufig. Sabine bestellte schon den Kaffee, legte ein Bein über das andere und schaute dem trägen Durcheinander auf der Uferpromenade mit einem Ausdruck des Vergnügens zu, der ausschließlich für Helmut bestimmt war. Er verlegte seinen Blick auch wieder auf die Leute, die zu dicht an ihm vorbeipromenierten. Man sah wenig. Von dem wenigen aber zuviel. Er verspürte eine Art hoffnungslosen Hungers nach diesen hell- und leichtbekleideten Braungebrannten. Die sahen hier schöner aus als daheim in Stuttgart. Von sich selbst hatte er dieses Gefühl nicht. Er kam sich in hellen Hosen komisch vor. Wenn er keine Jacke anhatte, sah man von ihm wahrscheinlich nichts als seinen Bauch. Nach acht Tagen würde ihm das egal sein. Am dritten Tag noch nicht. So wenig wie die gräßlich gerötete Haut. Nach acht Tagen würden Sabine und er auch braun sein. Bei Sabine hatte die Sonne bis jetzt noch nichts bewirkt als eine Aufdünsung jedes Fältchens, jeder nicht ganz makellosen Hautstelle. Sabine sah grotesk aus. Besonders jetzt, wenn sie voller Vergnügen auf die Promenierenden blickte. Er legte eine Hand auf ihren Unterarm. Warum mußten sie überhaupt dieses hin- und herdrängende Dickicht aus Armen und Beinen und Brüsten anschauen? In der Ferienwohnung wäre es auch nicht mehr so heiß wie auf dieser steinigen, baumlosen Promenade. Und jede zweite Erscheinung hier führte ein Ausmaß an Abenteuer an einem vorbei, daß das Zuschauen zu einem rasch anwachsenden Unglück wurde. Alle, die hier vorbeiströmten, waren jünger. Schön wäre es jetzt hinter den geraden Gittern der Ferienwohnung. Drei Tage waren sie hier, und drei Abende hatte er Sabine in die Stadt folgen müssen. Jedesmal auf diese Promenade. Leute beobachten fand sie interessant. War es auch. Aber nicht auszuhalten. Er hatte sich vorgenommen, Kierke-

gaards Tagebücher zu lesen. Er hatte alle fünf Bände dabei. Wehe dir, Sabine, wenn er nur vier Bände schafft. Er wußte überhaupt nicht, was Kierkegaard in seinen Tagebüchern notiert hatte. Unvorstellbar, daß Kierkegaard etwas Privates notiert haben konnte. Er sehnte sich danach, Kierkegaard näherzukommen. Vielleicht sehnte er sich nur, um enttäuscht werden zu können. Er stellte sich diese tägliche, stundenlange Enttäuschung beim Lesen der Tagebücher Kierkegaards als etwas Genießbares vor. Wie Regenwetter im Urlaub. Wenn diese Tagebücher keine Nähe gestatteten, wie er fürchtete (und noch mehr hoffte), würde seine Sehnsucht, diesem Menschen näherzukommen, noch größer werden. Ein Tagebuch ohne alles Private, etwas Anziehenderes konnte es nicht geben. Er mußte Sabine sagen, daß er ab morgen die Abende nur noch in der Ferienwohnung verbringen werde. Er hätte zittern können vor Empörung! Er hier auf dem zu kleinen Stuhl, Leute anstierend, während er in der Ferienwohnung . . .
Ans Wasser wollte er Kierkegaard nicht mitnehmen. Das hatte er als Fünfzehnjähriger getan. *Zarathustra* hatte er auf dem Bauch liegend gelesen. Snob, der er war, hatte er die französische Übersetzung gelesen. *Ainsi parlait Zarathustra.*

Sabines Vergnügen an den Vorbeiströmenden hatte inzwischen ein Lächeln erzeugt, das sich nicht mehr änderte. Er genierte sich für Sabines Lächeln. Er berührte sie am Oberarm. Wahrscheinlich sollte man reden miteinander. Ein alt werdendes Paar, das stumm auf Caféstühlen sitzt und der lebendigsten Promenade zuschaut, sieht komisch aus. Oder trostlos. Besonders, wenn die Frau noch dieses schon seit längerem verstorbene Lächeln trägt. Helmut mochte es nicht, wenn die Umwelt sich über Sabine und ihn Gedanken machen konnte, die zutrafen. Egal, was die Umwelt über ihn und Sabine dachte, es sollte falsch sein. Sobald es ihm gelang, Fehlschlüsse zu befördern, fühlte er sich wohl. *Inkognito* war seine Lieblingsvorstellung. In Stuttgart mußte er erleben, wie in der Nachbarschaft und in der Schule – und zwar bei Kollegen und bei Schülern – die Kenntnis über ihn zunahm. An ihm war der Spitzname *Bodenspecht* hängengeblieben. Das zeigte ihm, daß er mit einer geradezu höheren Art von Genauigkeit erfaßt, durchschaut und bezeichnet war. Jedesmal, wenn ihm das Erkannt- und Durchschautsein in Schule oder Nachbarschaft demonstriert wurde, die Vertrautheit mit Eigenschaften, die er nie zugegeben hatte, dann wollte er fliehen. Einfach weg, weg, weg. Die

benützten Kenntnisse über ihn, deren Richtigkeit er nicht bestätigt hatte. Sie benützten sie zu seiner Behandlung. Zu seiner Unterwerfung. Zu seiner Dressur. Die wußten ihn zu nehmen. Und je mehr die ihn zu nehmen wußten, desto größer wurde seine Sehnsucht, wieder unerkannt zu sein. Wenn jemand von ihm noch nichts wußte, war noch alles möglich. Leider hatte er das nicht immer so genau gewußt. Deshalb hatte er jene Vertrautheiten nicht verhindert. Jetzt blieb ihm nur noch die Flucht. Ein-, zweimal im Jahr. Der Urlaub eben. Im Urlaub probierte er Gesichter und Benehmensweisen aus, die ihm geeignet zu sein schienen, seine wirkliche Person in Sicherheit zu bringen vor den Augen der Welt. Unerreichbar zu sein, das wurde sein Traum. Und er hatte Mühe, die schlanke, spitze, nach allen Seiten vollkommen steil abfallende Felsenburg nicht zu einem andauernden Bewußtseinsbild werden zu lassen. Ein Überneuschwanstein wollte sich einbrennen in seine Vorstellungen. Und Wälder. Immer sah er Wälder. Sah sich durch Wälder traben. Ohne sich zu bewegen, trabte er und kam immer tiefer hinein in Wälder, die, zum Glück, kein Ende hatten. Wälder, die kein Ende haben, das ist überhaupt das Vollkommene.
Ja, hatte er denn Lehrer werden wollen? Will

denn irgend jemand etwas werden? Drückte sich in dieser Sehnsucht, noch nicht erkannt zu sein, der Wunsch aus, jünger zu sein? Als er seine erste Stelle angetreten hatte, veröffentlichte er in der Schülerzeitung ein paar Sätze, die er immer noch auswendig wußte. Wenn er sich die Zeilen wieder vorführte, grinste er dazu, als müsse er einem Witz zuhören, der sein Anstandsgefühl verletzte:

Die Begeisterung des Lehrers
Es handelt sich um einen beschränkten Gegenstand, den er nicht vollkommen beherrscht, aber mit aller Kraft darbietet. Die Schüler werden von anderer Seite über den Gegenstand besser informiert werden. Aber während sie den hartnäckigen Reden des Lehrers zuhörten, haben sie etwas gelernt, was sie nicht bemerkten. Seine Lächerlichkeit ist etwas für's Leben. Sie werden daran mit größter Andacht zurückdenken. Je tiefer der Lehrer in der Vergangenheit versinkt, desto höher wird in den Schülern die Andacht steigen.

Sein Grinsen kam wahrscheinlich von den Skrupeln, die er hatte, weil er sich dergleichen nicht einfach verschwieg.

Wie war das angenehm, vor dem Zürn'schen Haus auszusteigen, in dem sie seit elf Jahren

jedes Jahr vier Wochen lang die Ferienwohnung bewohnten; zu spüren, wie man schon ganz von selbst die Rolle produzierte, die man hier spielte.
Sein Benehmen gegenüber Frau Zürn hatte sich beim ersten Aufenthalt vor elf Jahren gebildet und konnte seitdem als fertig gelten. Sie hielt ihn für heiter, gesprächig, erholungsbedürftig, blumenfreundlich, tierliebend, kindernärrisch, herzensgut . . .
Er hatte die Urlaubsrolle, die Frau Zürn von ihm erwartete, nicht erfunden. Er hatte lediglich sein Benehmen so eingerichtet, wie es, nach seinem Gefühl, Frau Zürn am liebsten hatte. Was dabei zustande kam, hatte mit ihm angenehm wenig zu tun. Es konnte allerdings sein, daß auch das Lächeln, das Frau Zürn, sobald er und Sabine auftauchten, produzierte, nichts mit ihr zu tun hatte. Um so besser. Ihr Mann hatte in elf Jahren nicht ein einziges längeres Gespräch mit ihm geführt. Mit Sabine schon. Er und dieser Dr. Zürn gingen als zwei ebenbürtige Geheimnisse aneinander vorbei. Zu Sabine hatte er schon gesagt, dieser Dr. Zürn sei ihm sympathischer als alle anderen Menschen. Sahen sie einander nicht sogar ähnlich? Runder Rücken, runder Bauch. Und schwer. Helmut spürte in der ein bißchen zu höflichen Zuvor-

kommenheit, mit der man von Zürns behandelt wurde, die ihm angenehmste Form von Distanz. Er wollte nicht wissen, was Dr. Zürn für ein Doktor sei; warum die Zürns in einem schönen Haus am Ufer immer noch eine Ferienwohnung vermieteten; so wenig wie die Zürns von ihnen wissen wollten, warum ihnen in elf Jahren nicht endlich einmal ein anderes Urlaubsziel eingefallen sei. Das Schönste an diesem Urlaubsverhältnis war die jährlich wachsende, aber völlig annäherungslose Vertrautheit zueinander. Über die Basis, daß sowohl Dr. Zürn wie auch sie vor elf Jahren einen jungen Spaniel gehabt hatten, waren sie nicht hinausgekommen. Jetzt hatten sowohl Dr. Zürns wie auch sie einen alten Spaniel. Trotzdem konnte er sich niemanden denken, dem er sich vertrauter fühlte als Herrn und Frau Zürn. Zu deren vier Töchtern hatte er allerdings die Distanz wie zur übrigen Menschheit. Ach wär' man jetzt nur draußen bei Zürns!
Sabine sagte: Du bist doch nicht nervös. Sie sah ihn nicht an, als sie das sagte. Jemand, der sie von fern beobachtete, hätte, nach ihrem Gesichtsausdruck, geschlossen, sie habe zu ihrem Mann gesagt: Mit dir hier zu sitzen, ist sagenhaft schön. Er sagte: Nervös?! Wie kommst du denn darauf? Sie sagte: Hast du Hunger? Hun-

ger, sagte er auf eine ernsthaft romantische Art. Sollen wir gehen, fragte sie. In die Wohnung, sagte er. Nein, zum Essen, sagte sie. Hast du Hunger, fragte er. Wir hätten nach dem Mittagessen nicht soviel Kuchen essen dürfen, sagte sie. Du hast ihn gebacken, sagte er. Ich weiß, sagte sie schuldbewußt. Wenn du ihn wenigstens nicht so gut machen würdest, sagte er dumpf. Eine Rettung gibt's sowieso nicht, dachte er. Er wußte nicht, warum er das dachte. Rette den Menschen, dachte er. Rett' ihn doch. Vielleicht ist Sabine imstande, dieses Leutebetrachten zu genießen. Er glaubte das nicht. Dann müßte sie ganz anders sein als er. Ist sie aber nicht. Sie haben auf einander gewirkt. Sie sind einander jetzt unheimlich verwandt. Schau doch ihr Lächeln an. Wahrscheinlich hast du, ohne es zu bemerken, in diesem Augenblick ganz genau das gleiche abschüssige Lächeln im Gesicht. Wer euch so sieht, muß euch für Zwillinge halten. Und in diesem Augenblick sagte Sabine: Ich glaube, wir haben beide schon das Spanielgesicht. Das passierte immer wieder, daß sie etwas aussprach, was wie eine Antwort war auf das, was er gerade dachte. In diesem Augenblick ärgerte es ihn. Halt's Maul, dachte er und genierte sich gleich stürmisch dafür, daß er in Gedanken so wüst mit Sabine umging. Kämpf doch nicht so, sagte Sabine und legte ihre Hand auf seine. Er entzog ihr seine Hand und streichelte Otto und sagte: Der ist mit Recht beleidigt, weil du gesagt hast, wir sähen ihm gleich, dabei siehst nur du ihm gleich, ich überhaupt nicht. Separatist, sagte sie. Findest du das gut hier, sagte er. Ich könnte ewig Leute anschauen, sagte sie. Ich nicht, sagte er. Schade, sagte sie. Ich geh' jetzt, sagte er wütend. Nur noch eine Minute, sagte sie. Bitte, sagte er und sah auf die Uhr.

2.

Plötzlich stand ein zierlicher junger Mann vor ihrem Tisch. In Blue jeans. Ein blaues Hemd, das offen war bis zu dem ungefärbten Gürtel, in den Zeichen eingebrannt waren. Und neben dem ein Mädchen, das durch die Jeansnaht in zwei deutlich sichtbare Hälften geteilt wurde. Wie sie, wohin man schaute, geländehaft rund und sanft war, war er überall senkrecht, durchtrainiert, überflußlos. Auf der tiefbraunen Brust hatte er nur ein paar goldblonde Haare, aber auf dem Kopf einen dicht und hoch lodernden Blondschopf. Wahrscheinlich ein ehemaliger Schüler, dachte Helmut. Das passiert einem ja leider immer wieder, daß man von ehemaligen Schülern oder Schülerinnen angesprochen wird. Und meistens von denen, die vorher alles getan haben, einem die Arbeit in der Schule unerträglich zu machen. Die, die einen gequält haben bis aufs Blut, die bauen sich dann plötzlich vor einem auf, grinsen, strecken die Hand her, stellen einem ein Mordsweib vor oder so ein erschütterndes Mädchen; womöglich auch noch ein paar glücklich kreischende Kinder, die einen mit pappigen Fingern berühren; dann quatschen sie einem die Ohren voll mit ihrer tollen

Biographie und legen Reuebekenntnisse ab, beteuern, daß sie erst im Lauf der Jahre eingesehen hätten, was er für ein *klasse* Lehrer gewesen sei ... Er konnte sich die Sentimentalitätsausbrüche seiner vormaligen Peiniger nur mit Widerwillen und Ekel anhören. Er sah den Herrschaften, während sie redeten, auf die Schuhbeziehungsweise Zehenspitzen. Das tat er ja auch in der Schule. Darum *Bodenspecht.* Es dürften die Mädchen gewesen sein, die diese Kopf- und Körperhaltung bei ihm bewirkt hatten. Mit ihren rücksichtslosen Blusen und Hosen. Einmal hatte ihn die Kraft zur Verstellung verlassen; er hatte hingelangt; zum Glück hatte die Betroffene es für ein Versehen gehalten.

Nein, der flammend Blonde in Blau, mit Augenweiß und Zähneweiß und nackten Füßen und schönen unbeschädigten Zehen, war kein Schüler, es war Klaus Buch. Und Klaus Buch wollte nicht glauben, daß ihn sein Schulkamerad und Jugendfreund und Kommilitone Helmut nicht mehr kenne. Helmut konnte sich nur immer wieder entschuldigen. Sein Erinnerungsvermögen für Gesichter und Namen sei professionell erschöpft, sagte er. Er habe sich schon zu viele Gesichter und Namen merken müssen. Klaus Buch ... – er log sich vorwärts – ... natürlich, jetzt erwache in ihm die Vertrautheitsempfindung, sowohl dem Namen wie dem Gesicht gegenüber. Und das ist also Sabine, Helmuts Frau. Und das ist Helene, genannt Hel, Klaus' Frau. Als er dieser Hel die Hand gab, spürte er, daß Klaus jetzt ein Kompliment erwartete. Das war eine Frau wie eine Trophäe. Zumindest hätte Helmut seinem früheren Freund Klaus jetzt sagen müssen, wie perplex er, Helmut, sei, weil Klaus eher aussehe, als sei er ein Schüler von Helmut. Obwohl er jetzt allmählich zugeben müsse, einen Freund gehabt zu haben, der Klaus Buch geheißen und ausgesehen habe wie der junge vor ihm stehende Mann, könne er den vor ihm Stehenden überhaupt nicht mit dem in seiner Erinnerung allmählich auftauenden Klaus Buch zusammenbringen, einfach weil sein Klaus Buch inzwischen auch sechsundvierzig sein müßte, während der vor ihm Stehende doch eher sechsundzwanzig sei. Samt seinem Mädchen. Vor allem wegen seines Mädchens. All das sagte Helmut nicht. Kein Kompliment. Du wirst dich wundern, dachte er. Er sah den beiden auf die Fußspitzen. Auch ihre Zehen lagen wohlig und gerade nebeneinander. Die beiden redeten. Redend setzten sie sich. Sitzend redeten sie weiter. Helmut dachte an die Tagebücher Kierkegaards. Sabine gab alle Auskünfte, die durch

Hels und Klaus' Reden nötig wurden. Helmut nickte. Plötzlich fuhr Klaus Buch mit einem hellen Schrei hoch und schüttelte eine Hand durch die Luft, als sei sie ihm gerade verbrannt oder durchschossen worden. Helmut und Sabine begriffen nichts. Zum Glück lachte Helene Buch. Als Klaus Buch sich wieder gefaßt hatte, schaute er vorsichtig unter den Tisch. Gehört das Tier euch, fragte er. Aber der hat doch noch nie jemanden gebissen, sagte Sabine. Hel sagte: Bei seinem Ekel vor Hunden genügt die geringste Berührung, und der Schock ist fertig. Sabine sagte: Otto, Platz. Sie entschuldigte sich vielmals bei Klaus Buch und versprach, daß sie Otto überwachen werde.

Ja, also, seit drei Jahren kommen die auch schon hierher in Urlaub. Und wohnen draußen in Maurach. Also keinen Kilometer von uns weg, sagte Sabine. Sie, Sabine und Helmut, wohnten in derselben Richtung, schon elf Jahre lang. Sie, Hel und Klaus, hatten das Mittelmeer satt. Das ist wirklich lustig, daß sie seit drei Jahren nebeneinander Urlaub machen und einander nie gesehen haben. Also, wenn das nicht lustig ist, Helmut. Mensch, Helmut, wie findest du das? Doch, das findet er auch lustig. Hel und Klaus segeln viel. Sabine und Helmut liegen lieber faul am Wasser, dann sitzen sie herum. Es klang, als beklage sie sich bei Klaus Buch über Helmut. Helmut nickte. Er wußte, daß Sabine sich nicht wirklich beklagte. Es gefiel ihr eben, jetzt so zu tun, als beklage sie sich. Es war vielleicht eine Art Kompliment für Klaus Buch. Sie wurde ganz aufgeregt vor Freude über die freudige Aufregung, in die Klaus Buch durch diese Begegnung versetzt worden war. Daß der sich so freute, ihren Mann wieder getroffen zu haben, tat ihr offenbar gut. Sie schaute Klaus Buch mit einer Art Seligkeit an. So als hätte sie auf ihn seit langem gewartet und sei nun gespannt auf jedes Wort von ihm. Dieser Klaus Buch konnte nicht aufhören, von seinem Jugendfreund Helmut zu schwärmen. Schon mit vierzehn *Zarathustra* gelesen. Ihnen allen voraus. Pubertät mit Dornenkrone. So eine inzüchtige Zielsüchtigkeit. Immer schon. Stimmt doch, oder? Klaus Buch formulierte so, daß man, wenn man widersprach oder zustimmte, fast nur der Formulierung, aber nicht dem Gesagten widersprach oder zustimmte. Helmut sei immer schon der Prophet in Hosenträgern gewesen, was! Die heilige Hektik in Person. Einfach entzündet. Barfuß und entzündet, anders kenne er seinen Helmut nicht. Oft genug auch sei die Entflammung ins Physische übergesprungen. Alle vier Wochen habe man für drei

bis fünf Tage nur zu den Fenstern hinaufschauen können, hinter denen – und zwar hinter scheußlich rostroten Vorhängen – Helmut seine Entzündungen ausbrennen ließ. Helmut unterbrach ihn. Er wollte hier weg. Inzwischen hörten sicher schon Leute mit. Auch hatte er das Gefühl, Klaus Buchs Frau langweile sich beim Anhören dieser sie überhaupt nicht betreffenden Formulierungen. Sie entkämen ihm aber nicht, sagte Klaus Buch. Er lade hiermit die Halms zum Abendessen ein und sei eigentlich nicht bereit, irgendeine Form der Absage zu akzeptieren.
Der weiß tatsächlich noch meinen Namen. Nach zirka . . . Wann sie sich das letzte Mal gesehen hätten, fragte Helmut im Aufstehen so beiläufig als möglich. Das weißt du nicht mehr, rief Klaus Buch. Das wollte er nicht glauben. Es seien doch fast auf den Tag genau 23 Jahre. Da sei er, Klaus Buch, weg von Tübingen, weil er doch die Stelle in Edinburgh ergattert hatte. Nach der Abschiedsfeier habe doch Helmut von ihm verlangt, er müsse im Brunnen auf dem Marktplatz baden. Gewohnt, alles, was Helmut befahl, zu tun, habe er im Marktbrunnen gebadet. Das könne Helmut nicht vergessen haben. Helmut tat, als erinnere er sich genau an das, was Klaus Buch mit großartigen Griffen wie aus

einer Puppentheaterkiste auffahren ließ. Aber er erinnerte sich an nichts von dem, was Klaus Buch hervorzauberte. Wenn der nicht *Zarathustra* und die häufigen Mandelentzündungen erwähnt hätte, hätte es sich auch um eine Verwechslung handeln können. Schon die rostroten Vorhänge wirkten auf ihn wie Bühnenbild. Hatten sie zu Hause rostrote Vorhänge? Und was sind scheußliche Vorhänge? Er durfte gar nicht sagen, wie fremd er diesen Klaus Buch fand. An der dunkelsten Stelle seines Gedächtnisses kratzte zwar etwas, was vielleicht der Name dieses Herrn sein konnte. Und dieses Blond und diese flinke, zierliche Sportlichkeit, dieses Lachen, das den Zähnen zuliebe stattzufinden schien ... das konnte vorgekommen sein. So ein prognathisches Mustergebiß mit geradezu unflätig beweglichen Lippen konnte in seiner Jugend vorgekommen sein. Aber es konnte auch nicht. Andererseits wußte der soviel über Dritte, was Helmut wiedererkannte, eine Verwechslung war ausgeschlossen.
Vielleicht hatte Helmut diesen Klaus Buch aus seinem Gedächtnis getilgt. Hatte er nicht einmal einen beneidet, der eine Lektorstelle in Edinburgh gekriegt hatte? Er glaubte, er habe. Und ein Kläuschen, das immer alles kriegte, hatte es gegeben. Das war dann der. Dieses

Haus, das Fenster hatte, so hoch wie Kirchenfenster, farbige, das war deren Haus; hinter dunklen Bäumen; feierlich. Er war nie hineingegangen. Er hatte Angst gehabt. Nur einmal, als er wußte, die waren alle an der Nordsee, war er über die Mauer geklettert und hatte, von den Büschen aus, diesen Garten betrachtet und dieses hohe Haus. Hatte es nicht einen Erker, der sich mit Hilfe eines eigenen spitzen Dachs zu einem Türmchen entwickeln wollte? Plötzlich hatte er abhauen müssen. Vor Angst.
Hattest du nicht ein Vollballonrad, sagte Helmut. Jaa, rief Klaus Buch, Mensch, endlich, ich habe schon gefürchtet, du willst mich nicht mehr kennen.
Klaus sagte, er führe sie in den *Hecht*. Sehr einverstanden, sagte Helmut.

3.

Helmut begriff allmählich, daß dieser Klaus Buch für einige ihm teure Jahre seines Lebens keine Zeugen mehr gehabt hatte. Und gerade aus diesen Jahren wollte er offenbar überhaupt nichts verloren gehen lassen. Zur Wiedererwekkung des Gewesenen brauchte er einen Partner, der zumindest durch Nicken und Blicke bestätigte, daß es so und so gewesen sei. Ohne diesen Partner könnte er gar nicht sprechen von damals. Helmut sah, daß er es mit dem Kriegskameradenphänomen zu tun hatte. Er kannte diesen Wiedererweckungsfanatismus nicht. Jeder Gedanke an Gewesenes machte ihn schwer. Er empfand eine Art Ekel, wenn er daran dachte, mit wieviel Vergangenheit er schon angefüllt war. Deckel drauf. Zulassen. Bloß keinen Sauerstoff drankommen lassen, sonst fing das an zu gären. Anders Klaus Buch. Wenn der einen Faden hatte, wollte er alle anderen anhängigen auch. Er konnte nicht nachgeben, bis er das ganze Gewebe eines Nachmittags vor 25 Jahren wieder vor sich zu haben glaubte. Oder doch das Muster. Oder die Farben. Oder wenigstens die Idee. Meistens wußte dieser Klaus Buch allerdings so genau Bescheid über das, was ge-

wesen war, daß Helmut erschrak. Auf dem Rand des Marktplatzbrunnens hätten Geranienkisten gestanden, von denen sie, bevor Klaus Buch das von Helmut befohlene Bad habe nehmen können, zwei Kistchen heruntergenommen hätten. Die Theologiestudentin, du weißt doch, die mit dem Marika-Rökk-Gesicht und der gestickten Bluse, die habe sich umgedreht, als Klaus Buch mit dem Entkleiden begonnen habe. Weißt du nicht mehr, mit so halblangen nach innen gedrehten Haaren und oben auf den Haaren einen Zopf, der dann links und rechts in ihnen verschwunden sei oder aufgehört habe . . .
Helmut spürte einen brennenden Neid. Er hatte praktisch nicht gelebt. Es war nichts übrig geblieben. Hinter ihm war so ziemlich nichts. Wenn er sich erinnern wollte, sah er reglose Bilder von Straßen, Plätzen, Zimmern. Keine Handlungen. In seinen Erinnerungsbildern herrschte eine Leblosigkeit wie nach einer Katastrophe. Als wagten die Leute noch nicht, sich zu bewegen. Auf jeden Fall standen sie stumm an den Wänden. Die Mitte der Bilder blieb meistens leer. Er spürte, daß in ihm das Abenteuer endgültig zu Ende gegangen war. Das Erzählbare überhaupt. Manchmal setzte er sich zwar hin und ließ in einer Art Panik alle Leute

aufmarschieren, die er je kennengelernt hatte. Die Namen und Gestalten, die er aufrief, erschienen. Aber für den Zustand, in dem sie ihm erschienen, war *tot* ein viel zu gelindes Wort. Er hatte wahrscheinlich kein schlechteres Gedächtnis als andere. Auch zogen ihn Jugend und Kindheit in der bekannten Weise an. Aber dann konnte er nichts anfangen mit den stummen, geruchlosen, farblosen Szenen. Eine Zeit lang hatte er fanatische Erweckungsversuche betrieben. Einmal hatte er sogar angefangen, alles aufzuschreiben, was er von seinem Vater noch wußte. Sein Vater war Kellner im *Hindenburgbau* gewesen. Helmut hatte sich geekelt, als er sich erlebte, wie er die Gedächtnisfetzen zusammenleimte, wie er sie anmalte, behauchte, Texte erfand für sie. Für dieses Puppentheater war er zu alt. Etwas von früher lebendig zu machen, hieß doch, es auf eine Weise komplettieren, daß das Vergangene in jener Pseudoanschaulichkeit auferstand, die den Vergangenheitsgrad des Vergangenen einfach verleugnete. Was von seinem Vater nachher auf dem Papier stand, wollte den Schädelstättenzustand, in dem das Vergangene in ihm existierte, weglügen. Ihn interessierte gerade die Abgestorbenheit des Vergangenen. Klaus Buch erzählte offenbar das Vergangene am liebsten drastisch. Gibt es

etwas, was weniger zusammenpaßt als Vergangenes und Drastisches? Bei Klaus Buch rollte es nur so von Tönen, Gerüchen, Geräuschen; das Vergangene wogte und dampfte, als sei es lebendiger als die Gegenwart. Die Erinnernden wurden kleine Männchen, die hinaufzeigten, in den Himmel, wo die Riesen saftig kämpften. Helmut sah nur Fetzen, Löcher, Gebleichtes, Verebbtes, Vernichtetes. Im Grunde tat er seit Jahr und Tag nichts, als sich vorzubereiten auf den Umgang mit dem Vernichteten. Ihn zog nichts so an wie dieses Vernichtete. Irgendwann einmal würde er von morgens bis in die Nacht nur dieses Vernichtete um sich versammeln. Sein Ziel war es, schon die eigene Gegenwart in einen Zustand zu überführen, der der Vernichtetheit des Vergangenen so ähnlich als möglich war. Schon jetzt wollte er vergangen sein. Das war seine Richtung. Es sollte in ihm, um ihn, vor ihm so fetzenhaft sein wie im Vergangenen. Man ist ja viel länger tot als lebendig. Es ist doch grotesk, wie winzig die Gegenwart im Verhältnis zum Vergangenen ist. Und dieses Verhältnis sollte jede Sekunde der Gegenwart gebührend minimalisieren, zerreiben, bis zur Unfühlbarkeit entstellen.
Klaus Buch und seine Frau aßen nur Steak und Salat, und den Salat aßen sie vor dem Steak.

Und sie tranken nur Mineralwasser. Ihr Mineralwassertrinken lobten sie so, als müßten Halms das so rasch als möglich nachmachen. Und wie sie selbst Mineralwasser noch beurteilen konnten! Helmut war schon in dem Café an der Promenade aufgefallen, daß die beiden sich keinen Kaffee bringen ließen. Auch dort hatten sie Mineralwasser getrunken. Aber sie hatten es dort nicht gelobt. Sie machten Helmut und Sabine herzliche Vorwürfe wegen deren bedenkenloser Art zu essen und zu trinken. Es war Hel, die diese Vorwürfe besorgt an Sabine richtete. Helmut und Sabine tranken den schwersten, teuersten Spätburgunder. Helmut trank fünf Viertel davon. Sabine zwei. Er spürte, wie er in einer schönen düsteren Schwere versank. Weit weg von ihm turnte Klaus Buch die Erinnerungen nach und konnte sich kaum auf dem Stuhl halten vor Begeisterung, wenn Helmut aus reiner Höflichkeit soweit ging zu bemerken, das Mädchen mit der Zopfleiste, die Theologiestudentin, von deren Fährte Klaus Buch die Nase ein Semester lang nicht heben konnte, sei aus Worms gewesen. Dadurch erwachte diesem Klaus nämlich ihr Sprachklang bis zur Hörbarkeit. Aber mitten im schönsten Nachhören tat er wieder den Schrei, den er an der Promenade getan hatte; diesmal war der Schrei,

weil sie in einer der alten niederen *Hecht*-Stuben saßen, so furchtbar, daß auch Helmut aufsprang, daß auch Leute an anderen Tischen, in Nebenstuben sogar, aufsprangen. Sabine schlug Otto auf die Schnauze. Klaus Buch war hinausgerannt, um sich die Hände zu waschen. Sabine sagte scheinheilig: Das ist das erste Mal, daß er das macht. Das stimmte zwar, aber offenbar glaubte sie das selbst nicht.
Als Klaus Buch zurückkam, fand er nicht mehr in die Erinnerungsfeier hinein. Er und Hel schauten eine Zeit lang stumm zu, wie Sabine und Helmut die Käseplatte leerten, Weißbrot aßen, Rotwein tranken. Als Helmut die von Entsetzen geweiteten Augen der Buchs zum dritten Mal durch Aufschauen zur Kenntnis genommen hatte, sagte er, Hels und Klaus' Zuschauen erinnere ihn an eine Szene aus dem Leben des großen schwedischen Philosophen Emanuel Swedenborg. Der habe, als er schon über fünfzig und ein berühmter Mann gewesen sei, einmal allein in seinem Zimmer in einem Londoner Hotel zu Abend gegessen. Plötzlich habe er in einer Ecke seines Zimmers einen Mann wahrgenommen, der in dem Augenblick zu Swedenborg herübersagte: Iß nicht soviel. Und wie hat der Herr Philosoph reagiert, fragte Hel. Von dieser Stunde an nahm er nur noch

eine Semmel in gekochter Milch zu sich. Und viel Kaffee. Den aber unmäßig süß. Na bitte, sagte Hel. Swedenborg, Klaus, bitte, merk dir den Namen, der interessiert mich. Eine Semmel pro Tag oder pro Mahlzeit? Das weiß ich leider nicht, sagte Helmut. Das mindert den Wert des Rezepts erheblich, sagte Hel. Sie schien fast ärgerlich vor Enttäuschung. Alles haben Sie sich gemerkt, sagte sie, den Namen, den Vornamen, den Beruf, die Nationalität, den Ort der Handlung, die Lokalität, die Bestandteile, und dann vergessen Sie die Mengenangabe. Klaus, begreifst du das? Helmut war immer nur an Qualität interessiert, nie an Quantität, sagte Klaus Buch. Aber ohne genaue Quantitätsangaben kommt doch überhaupt keine Qualität zustande, rief Hel. Iß nicht soviel, sagte Klaus Buch. Dann schaute er auf die Uhr. Mein Gott, bald elf, sagte er. Helmut hätte gern noch ein oder zwei Viertel von diesem Waldulmer getrunken. Aber Klaus Buch stand schon, hatte – für alle – bezahlt. Gab schon, während Helmut noch dagegen protestierte, daß er seine und Sabines Zeche nicht bezahlen dürfe, den Plan für morgen bekannt. Morgens um halb sieben laufen sie, um sieben spielen sie Tennis, vormittags segeln sie, dann essen sie mittag, dann schlafen sie, um drei Uhr haben sie ausgeschlafen, da

wollen sie Sabine und Helmut sehen. Wenn natürlich Sabine und Helmut mit ihnen um sieben Uhr ein Doppel spielen wollten, wäre das himmlisch. Helmut lehnte schaudernd, Sabine lächelnd ab.
Sie hätten Sabine und Helmut gern bis Nußdorf mitgenommen, aber sie seien mit den Rädern da. Helmut fühlte sich verpflichtet zu sagen, er und Sabine freuten sich auf den Spaziergang nach Nußdorf hinaus. Sobald die weg waren, machte er den Vorschlag, mit dem Omnibus zu fahren. Es ging aber keiner mehr. Mißmutig trottete Helmut neben der munteren Sabine nach Nußdorf hinaus. Zum Glück wehte ein heftiger Westwind und brachte Bäume und See zum Rauschen. Dieses einmütige Rauschen mochte er. Leider sprach Sabine fast ununterbrochen. Und zwar von Klaus Buch. Sie fand es zwar auch komisch, daß die schon um sieben Uhr morgens Tennis spielten und den Wein verschmähten und nicht rauchten, aber sonst fand sie die beiden erfrischend. Um Sabine nicht ganz allein zu lassen, sagte er, er sei auch ein bißchen froh, daß sie die beiden getroffen hätten, sonst hätte er an diesem Abend keinen so guten Wein gekriegt. Seine Zigarren hätten ihm noch nie so gut geschmeckt wie in dem Augenblick, als dieser Klaus Buch die von Hel-

mut angebotene Zigarre mit der Bemerkung abgelehnt habe, er dürfe nicht rückfällig werden. Das klang, als sei Rauchen ein Verbrechen, sagte Helmut, und irgendwie hat das Bewußtsein, rauchend ein Verbrechen zu begehen, mir die Zigarre noch voller durch die Adern strömen lassen.

Das war gelogen. Als er bemerkte, daß die sein Rauchen mit einer erschütternden Teilnahme beobachteten, hatte ihm das Rauchen nicht mehr so geschmeckt wie sonst.

Einen Augenblick überlegte Helmut, ob er Sabine nicht vorschlagen sollte, daß sie sich beide rasch auszögen und in die Wellen stürzten zu einem kurzen Bad. Das hatten sie schon getan. Aber er fürchtete, Sabine werde diesen Vorschlag für eine Wirkung dieses Klaus Buch halten. Sie hatte ihm vorgeworfen, er sage immer *dieser Klaus Buch*. Wie sie es, bitte, gern hätte, hatte er gefragt. Der sei doch sein Freund. Gewesen, sagte Helmut. Vom elften bis zum dreiundzwanzigsten Lebensjahr, wie er heute erfahren habe. Das bedeute für ihn nichts mehr. Trotzdem, es sei doch lächerlich, jedesmal *dieser Klaus Buch* zu sagen, anstatt *Klaus*. Stimmt, sagte Helmut, sogar sehr lächerlich. Von jetzt an sagst du *Klaus*, sagte sie. Ja, sagte er, von jetzt an sage ich *Klaus*. Sabine boxte ihn ein wenig. Sie glaubte offenbar, jetzt seien sie sich einig. Das war ihm recht.

Da er zuviel gegessen und vielleicht auch zuviel getrunken hatte, fand er keinen ruhigen Schlaf. Auch Sabine lag öfter wach neben ihm. Beide waren überrascht, daß dieser Rotwein sie nicht tiefer betäubte. Helmut sagte, er gehe noch einmal hinüber, etwas nachschlagen. Er setzte sich an den Tisch und schrieb: Lieber Klaus Buch, ich sehe ein Mißverständnis wachsen. Vielleicht ist es schon zu spät. Das wäre verhängnisvoll. Ich muß euch warnen. Sobald jemand freundlich ist zu mir, spüre ich, daß ich nicht mehr so freundlich sein kann, wie ich einmal war. Ich glaube, jetzt scheine ich freundlicher als ich bin. Manchmal tut es mir noch leid, daß ich nicht so freundlich bin wie ich scheine. Wenn jemand zu mir freundlich ist, geniere ich mich wie ein Fleischesser unter Vegetariern. Was alles passiert ist, sage ich nicht. Das hieße ja, um Verständnis werben. Etwas verschweigen kommt mir schön vor. Mein Ideal ist es, ruhig zusehen zu können, wenn man falsch verstanden wird. Dem Mißverständnis zustimmen, das möchte ich lernen. Sogenannte Feinde sogenannten Freunden vorziehen, das möchte ich lernen.

Helmut hörte auf. Er merkte, wie lächerlich es

war, diesen Brief zu schreiben. Wenn er auch nur einen einzigen Satz dieses Briefes ernst meinte, hieß das, daß er ihn nicht mitteilen durfte. Aber er konnte nicht aufhören zu schreiben. Also schrieb er weiter: Und wisse: Ich bin nicht interessiert, etwas über mich zu erfahren, geschweige denn, etwas über mich zu sagen. Deshalb sollten wir uns nicht noch einmal sehen. Ja, ich fliehe. Weiß ich. Wer sich mir in den Weg stellt, wird . . . Ich will mich nicht aussprechen. Mein Herzenswunsch ist zu verheimlichen. Diesen Wunsch habe ich mit der Mehrzahl aller heute lebenden Menschen gemeinsam. Wir verkehren miteinander wie Panzerschiffe. Nach nicht ganz verständlichen Regeln. Der Sinn dieser Regeln liegt in ihrer Unvernünftigkeit. Je mehr ein anderer über mich wüßte, desto mächtiger wäre er über mich, also . . .
Helmut hörte auf. Er war erleichtert. Der Brief war in einen Ton geraten, der das Wegschicken unmöglich machte. Erst als er den Brief-Ton bis zur Unmitteilbarkeit getrieben hatte, konnte er aufhören. Jetzt freute er sich auf sein Bett. Er spürte, wie ihn die Selbstgenügsamkeit des Negativen durchströmte. Wie schön, daß, wer nichts mehr will, sich selbst genügt. Wie leicht alles wird, sobald man allein ist. Nicht nur

innen. Jeder Schritt. Ein Glas und eine Hand. Keine Affäre, sich zu bewegen. Über dieses Teppich-Medaillon könnte er ewig hin und her wandern. Sobald er allein ist, ist der Schulterzwang weg. Vor allem der Gesichtszwang ist weg. Ruhig fließen die Züge. Liegen ohne weiteres. Der Mund hat es am allerschönsten. Er tut einfach, was er will. Sobald der Mund weiß, wir sind allein, benimmt er sich wie ein Hund. Liegt lange reglos, hat dann Lust, Bewegungen zu machen, Spiele. Offenbar will er sich jetzt empfinden. Na fabelhaft. Soll er.

4.

Durch Pfeifen, Bäumebetrachten und einen Kommentar über die hoch erhaben daliegende Kirche Birnau, die ihre Brust der Sonne hinhalte wie ein junges Rind, versuchte Helmut zu verhindern, daß der Gang zum Hotel *Seehalde* als eine Wallfahrt zu Klaus Buch erscheine. Er wollte den Gang selbst zu etwas machen. Daß Sabine unerbittlich verlangt hatte, Otto müsse in der Wohnung bleiben, hatte ihn erschreckt. Das war eine Unterwerfungsgeste. Er hatte gestöhnt und die Sekunde verflucht, in der sie gestern von Klaus Buch entdeckt worden waren. Jetzt komm doch, das tut dir gut, hatte Sabine gesagt. Was? hatte er zurückgefragt. Daß du einmal herausgerissen wirst. Wo herausgerissen? Aus deinem Trott. Trott nennst du das, hatte er gerufen, Trott! Diese hageldichte Folge von gravierenden Momenten, von denen uns jeder einzelne wieder eine ganze Traube von Entscheidungen abverlangt. Stehen wir auf, wenn ja, wann, frühstücken wir, aber was, ziehen wir uns an, wenn ja, was, gehen wir ans Wasser, wenn ja, wo legen wir uns hin, und wie . . .
Helmut machte, als Klaus Buch auf sie zueilte,

ein möglichst kompliziertes Gesicht. Klaus Buch sagte, da Halms, zum Glück, ihr vierbeiniges Laster nicht dabei hätten, müsse man segeln. Helmut schaute Sabine an, als wolle er sagen: Das hast du jetzt davon. Er sagte, das sei eine wunderbare Idee, aber leider seien Sabine und er nicht zum Segeln angezogen. Klaus sagte: Schuhe runter, alles klar. Sabine stimmte einfach zu. Helmut zeigte ihr, daß er staune. Wußte sie nicht, wie komisch sie in einem Segelboot aussähen?

Helmut und Sabine wurden auf den Boden der sie mit heftigem Schwanken empfangenden Jolle gesetzt. Kissen wurden untergeschoben. Mit zum Himmel starrenden Zehen saßen sie fremd und versuchten, den sportlichen Bewegungen der Buchs auszuweichen. Klaus Buch hatte verlangt, daß Sabine und Helmut auch die Strümpfe auszögen. Sonst rutschten sie aus und brächen sich was. Helmut hielt Sabine seine Socken hin und machte dabei ein Gesicht, in dem er Verzweiflung triumphieren ließ. Klaus legte ab, Hel war sein Vorschotmann, der Westwind griff sich die Segel, Sabine hatte Angst, die Buchs, die oben saßen, lachten. Helmut hatte das Gefühl, er und Sabine würden hier zu einem Großelternpaar gemacht. Klaus Buch benahm sich an der Pinne, als müsse man ihm andauernd

Komplimente machen. Helmut beherrschte sich. Allmählich fand Sabine, daß sie sich Segeln so schön nicht vorgestellt habe. Dieses leise scharfe Gleiten, also nein. Und diese Landschaft, Helmut, schau, vom See aus sind die einander ermöglichenden Hügel noch schöner als beim Spazierengehen. Sie tat, als wäre sie zum ersten Mal auf dem See.
Ist es nicht, als habe sich eine Herde von Hügeln nur zum Ruhen um den See gelagert, rief sie. Offenbar wollte sie mit Klaus in einen Formulierwettbewerb treten. Helmut spürte die Sanftheit der Hügel, vor denen man hinfuhr, auch. Aber er hütete sich, das zu sagen. Klaus Buch sagte es. Er kenne seinen Helmut. Daß den das im Sonnenglast auf- und niedersteigende Grün nicht unberührt lasse, brauche ihm keiner zu sagen. Helmut habe in der Schule immer die schmelzendsten Stimmungsbilder geschrieben. Aber sein größter Trick sei dann gewesen, die ausschweifendsten Wortgebilde mit einer gänzlich interesselosen Stimme vorzulesen.
Helmut gefiel es, daß so ungenau von ihm geschwärmt wurde. Auch um Sabines willen. Er spürte, daß seine Füße eiskalt waren. Es war ein heißer Tag. Unauffällig versuchte er, seine Füße in die Sonne zu bringen.

Es fiel ihm nichts anderes ein, als Klaus Buch nach dessen Karriere zu fragen. Er hoffte, wenn Klaus Buch über sich selber spräche, würden sich seine Formulierungen mäßigen. Tatsächlich sprach der über sich selbst nicht so ausdrucksgierig wie er über Helmut gesprochen hatte. Aber wie er sich selbst charakterisierte, war Helmut auch unangenehm. Der konnte einem nichts recht machen. Ganz unernst gestand er, daß er sich zum Erzieher charakterlich nicht befähigt gefunden habe. Er hätte, wenn er beamteter Lehrer geworden wäre, nicht die Seelenstärke gehabt, die man brauche, um dem Trott zu entgehen. Der schicksallose Kleinbürger wäre er geworden. Ein spießig verwitterndes Harnsäurekonzentrat, sonst nichts. Ohne Provokation gebe es ihn nicht. Wenn er nicht überfordert werde, lebe er nicht. Er brauche die Grenze, sonst fühle er sich nicht. Also sei er Journalist geworden. Spezialist für Umweltfragen. Innerhalb der Ökologie Spezialist für Ernährungsfragen. Auch im Fernsehen zu sehen. Sabine sagte sofort, sie kämen so gut wie nicht zum Fernsehen, weil sie abends läsen. Klaus beneidete Sabine und Helmut. Abends lesen, echt gut. Für ihn sei es beruhigend, daß es solche Menschen noch gebe. Hel sagte: In deiner *Aufzählung des Grünen* heißt es *Leser sind*

eine Grüne Lunge der Menschheit. Hel, sagte er, daß du mich auswendig kannst! Ich glaube, du magst mich doch noch ein bißchen. Das sei ihm von seinen Büchern das Liebste, die *Aufzählung des Grünen.* Was aber lesen Halms, abends? De Sade, sagte Helmut rasch, bevor Sabine antworten konnte. Masoch auch, maulte Sabine nach. Ihr seid mir so zwei, sagte Klaus. Helmut sagte: Stimmt. Klar zur Wende, rief Klaus. Klar, rief Hel. Re, rief Klaus. Sabine und Helmut duckten sich.
Wissen Sie, Klaus, sagte Sabine – Helmut ärgerte sich, weil sie Klaus Buch immer Klaus nannte; er hatte Hel nur Frau Buch genannt und vermied, als er sie, auf ihres Mannes Befehl, Hel nennen sollte, ihren Vornamen ganz und gar –, Helmut ist seit Jahr und Tag dabei, zwei Bücher zu schreiben, aber die Schule frißt ihn einfach auf; jetzt hat er seine Pläne schon auf ein Buch reduziert; aber selbst das muß er immer wieder hinausschieben. Weißt du was, Hel, sagte Klaus, wir werden den Halms unsere harmlosen Büchlein überreichen. Oh ja, sagte Sabine, Helmut, vielleicht macht dir das Mut, doch noch anzufangen.
Helmut dachte, daß es vielleicht eine Art Laster sei, aber das süßeste aller Gefühle sei es doch zu erleben, daß auch die eigene Frau keine Ahnung

hat von einem. Natürlich nickte er zu allem, was Klaus sagte, was Sabine sagte, und hob dabei zum Zeichen einer im Geistigen beheimateten Hochachtung seine Brauen hoch in die Stirn. Helene Buch hat also auch schon geschrieben. Ja, sowas. Über Kräuter. Und Klaus hat sogar schon mehreres veröffentlicht. Über das Essen allgemein. Aha. Und fünfundsiebzigtausend Leute gibt es, die nach seinen Schriften essen. So ist das. Aber er ist bescheiden geblieben. Das sei nicht sein Verdienst. Er habe formuliert, was fällig gewesen sei. Hels Kräuterbuch sei viel verdienstvoller, und deshalb auch viel weniger verbreitet. Hel protestierte. Ich hätte doch nie ein Buch geschrieben, wenn er's nicht verlangt hätte. Zweitens hab ich gar keins geschrieben, ich habe lediglich Pfarrer Künzle ins Neudeutsche übersetzt, das heißt, ich habe jedesmal, wo bei ihm *Gott* steht, *Natur* eingesetzt. Sie kennen ja sicher *Chrut und Uchrut*. Nein?! Also deswegen kämen Buchs doch seit drei Jahren in diese Gegend, um den Pfarrer Künzle besser zu verstehen. Auch geistig, sozusagen. Pfarrer Künzle sei ihnen plötzlich wichtiger geworden als Byzanz und Ravenna. Klaus sei inzwischen so in die Gegend vernarrt, daß er ein großes Bodenseebuch plane. Titel: *Laß Europa aus dir trinken.*

Klaus Buch sagte, mit dem Schwindel da drüben sollte man auch einmal aufräumen. Er zeigte auf die Unteruhldinger Pfahlbauten, an denen man vorbeisegelte. Wieso Schwindel, fragte Helmut. Er glaube, im Prospekt gelesen zu haben, daß sich diese Pfahlbauten in schöner Offenheit zu ihrem Baujahr 1929 oder 30 bekennten. Der Schwindel ist, sagte Klaus, daß dort überhaupt nie Pfahlbauten standen; diese nachgemachten Pfahlbauten täten aber so, als seien da mal welche gewesen. Ob er sicher wisse, daß an dieser oder an einer benachbarten Stelle, etwa vor Goldbach oder Süßenmühle, niemals Pfahlbauten gestanden hätten, fragte Helmut. Überhaupt nie und nirgends am oder im Bodensee habe es Pfahlbauten gegeben. Helmut sagte herzlich: Lieber Klaus Buch, in der Steinzeit gab es hier keine Pfahlbauten? Die keltische Urbevölkerung wohnte nicht vorzüglich in Pfahlbauten. Hätten die wilden Alemannen die nicht alle sofort weggeputzt? Helmut hatte keine Ahnung. Aber Klaus Buchs Ton reizte ihn zum Widerspruch. Ja, ja, jaaa, rief Klaus Buch, genau so möchte es der Schwindler, der das alles erfunden hat, und dafür schon vor vierzig Jahren zum Professor ernannt worden ist und sich dann ins Fäustchen lachte, weil er nämlich durch seine plumpen und deshalb erfolgreichen Erfindungen sicher längst Millionär war. Bitte, aus mir spricht der reine Neid, das gebe ich zu. Wenn ich zu etwas Lust hätte, dann wäre es ein Schwindel, der Hand und Fuß hat, der es gewissermaßen zu wirklichem Leben bringt. Das hast du doch geschafft, sagte, lachend, Hel. Die fünfundsiebzigtausend Leute, die nach deinen Büchern essen, sind doch ziemlich real. Er schaute Hel einen Augenblick lang entsetzt an – seine Zunge arbeitete von innen gegen die Oberlippe und wulstete die Oberlippe, als halte die sie gefangen –, dann lachte er lauter als Hel gelacht hatte. Dann sagte er, das komme davon, daß man so ein rohes junges Ding heirate. Seine erste Frau hätte nie so instinktlos sein können, eine ironische Bemerkung, die er über sich selbst mache, real zu nehmen und auch noch gegen ihn anzuwenden. Herta machte viele Fehler, aber den nicht. Nie. Sie habe nur leider überhaupt keine Entwicklung gehabt und habe deswegen auch ihm keine gegönnt, deshalb habe er sich von ihr trennen müssen, wenn er nicht habe eingehen wollen wie eine Pflanze in einem zu kleinen Topf. Diese Erklärungen richtete Klaus Buch an Sabine. Dann sagte er in einem furchtbar ernsten, geradezu hoffnungslosen Ton zu Hel: Du magst mich nicht mehr, gell? Sie lachte ihn aus,

beugte sich zu ihm hinüber und küßte ihn. Er hatte rasch seinen Kopf so gedreht, daß ihr Kuß seinen Mund traf. Danach leckte er seine Lippen um die Lippen herum, damit auch gar nichts von Hels Kuß verlorengehe. Helmut hätte am liebsten nur noch Hel angeschaut. Er mußte vorsichtig an ihr vorbeischauen, weil die anderen sonst gesehen hätten, wie wenig er sich an diesem Mädchen sattsehen konnte. Aber in diesem Vorbeischauen war er ja Experte.
Seine Füße fühlten sich immer noch kalt an, obwohl sie jetzt in der Sonne lagen. Eigentlich nicht die ganzen Füße. Nur die Fersen. Aber die waren so kalt, als lägen sie im Schnee. Er hätte sich bewegen müssen. Er und Sabine saßen da wie ein Konditorehepaar, das sich zur Feier der Goldenen Hochzeit zu einer viel zu sportlichen Bootsfahrt hatte einladen lassen. Sie sahen sicher furchtbar komisch aus, auf kleinen Kissen auf dem Boden sitzend, die bloßen Füße von sich gestreckt. Die zerschundenen Zehen. Die wüst gerötete Haut.
Die Trennung von den Kindern habe ihm anfangs schier die Leber zerquetscht, sagte Klaus Buch und reckte sein Gesicht in den Wind und kniff die Augen zusammen, daß die goldenen Wimpern sich abenteuerlich berührten. Seine Frau, eine fanatische Kleinbürgerin, habe die

Kinder so gegen ihn aufgehetzt, daß die Kinder jeden Kontakt mit ihm verweigerten. Zum Glück denke Hel da wie er: bloß keine Kinder. Zu bumsen, bloß zur Erzeugung von Kindern, ist doch der Inbegriff des Spießigen, ist es nicht so? Er sei sicher, daß Helmut, der schon in seiner Jugend ein Meister der Bizarrerie gewesen sei, eine schön düstere und reich ritualisierte Bumskultur entwickelt habe. Zum Glück sei man so weit, daß heute jeder nach seiner Façon bumsen könne. Hel und er, zum Beispiel, stünden unheimlich aufs Federn. Seiner ersten Frau sei es dabei echt schlecht geworden. Der Mensch sei zweifellos ein Fehler der Natur, aber der Kleinbürger sei die Erhebung des Fehlers zum Programm. Verklemmt wie Hitler, borniert wie ein bayerischer Ministerpräsident und böse wie Stalin. Hel und er warteten nur auf den Tag, an dem sie dieses Kleinbürgerland endgültig verlassen könnten. Noch ein Mietshaus mehr, dann stächen sie in See. Kurs Bahamas. Das werde doch nicht mehr besser mit den Deutschen. Beispiel, seine erste Frau: eine Verehrerin Pius XII. Mit vierzehn, als Anno-Santo-Pilgerin, mit ihrem Vater, Papstaudienz. Davon habe sie sich nicht mehr erholt. Lieblingsbuch: *Richard Wagner an Mathilde Wesendonck*. Zweitliebstes: *Das Lied von Berna-*

dette von Werfel. Und habe am Montagmorgen schon gewußt, welche Bluse sie am Freitag tragen werde. Hel sah ihren Klaus mit Mitgefühl an. Sabine sagte so ironisch als möglich: Beneidenswert. Klaus Buch rief: Klar zur Wende. Hel rief: Klar. Klaus Buch rief: Re. Sabine und Helmut duckten sich.
Plötzlich zog Hel ihr Oberteil weg, verstaute es, sagte, Klaus könne bei dem Wind allein fertig werden und legte sich auf das Vorschiff. Mit Hilfe seines professionellen Blicks sah Helmut ihre Brüste im Vorbeischauen an. Die Brüste sahen aus, als wären sie selber neugierig. Zum Glück hatte Klaus Buch weitergeredet, als sei nichts geschehen. Ob Halms Kinder hätten? Helmut sagte: Sabine, haben wir Kinder? Sabine sagte, wenn er ihre zwei Kinder fragen würde, ob sie Eltern hätten, dann würden sie wahrscheinlich antworten: Eltern! Um Gottes Willen, nie gehabt! Als er ihren Hund gesehen habe, sagte Klaus Buch, habe er gedacht, sie seien ein kinderloses Paar. Warum habt ihr dann keinen Hund, fragte Sabine. Sie mieden alles, was ihre Unabhängigkeit einschränken könnte, sagte Klaus Buch. Sie müßten, wenn ihnen vormittags einfalle, nach Teneriffa zu fliegen, mittags ihr Häuschen in Starnberg verlassen und abends in Los Rodeos landen können,

sonst habe er einfach das Gefühl, eine Küchenschabe zu sein. Und das sei ein unangenehmes Gefühl. In der Schule habe er oft das Gefühl gehabt, eine Küchenschabe zu sein. Helmut habe ihn damals ganz schön zappeln lassen. Weil seine Eltern ein schönes Haus am Hang gehabt hätten, mit einem Garten voller Zwetschgenbäume und einer Brombeerwildnis, habe Helmut jeden Besuch des Buchschen Grundstücks verweigert und habe sogar Mitschüler, zeitweise erfolgreich, aufgehetzt, nicht mit Klaus Buch heimzugehen. Er war ein Klassenkämpfer, sagte Klaus Buch. Das ist er nicht mehr, sagte Sabine trocken. Schade, sagte Klaus Buch. Damals habe er natürlich Helmuts geheimen Haß gegen den Buchschen Besitz nicht verstehen können. Er habe gedacht, es sei gegen ihn persönlich gerichtet. Wenn er nicht bei der Gruppenonanie hätte beweisen können, daß sein Geschlechtsteil es mit jedem anderen aufnehmen konnte, wäre er wirklich verzweifelt damals. Mein Gott, was hätte er getan, wenn das Onanieren im Schulabort und auf den Neubauten nicht gewesen wäre. Das seien so ziemlich die einzigen Rehabilitationschancen gewesen für ihn. Da er kleiner gewesen sei als die meisten, hätten die natürlich geglaubt, bei ihnen sei alles länger als bei ihm. Aber die habe er ganz schön in den Winkel gestellt. Ob Helmut das noch wisse, auf dem Sparkassenneubau, im obersten Stock, Aufgabe: wer schafft es, durch die Oberlichtöffnung durchzupinkeln? Und wer hat es als erster geschafft? Der kleine Klaus Buch. Oh ja. Den langen Lulatschen fehlte es entweder an Druck oder an der Festigkeit des Glieds zur Erzeugung des nötigen Vorhalts. Mit Mathe schaffte man diese Parabel nicht. Aber den größten Lacherfolg schaffte doch Helmut, rief Klaus Buch voller Freude. Helmut schauderte, als er diesen Ton hörte. Helmut habe nämlich damals, was er inzwischen ja sicher längst nicht mehr habe, knifflige Vorhautprobleme gehabt. So einen richtigen Blumenkohlsträußel von Vorhaut habe Helmut vor der Mündung gehabt. Da sei natürlich kein schlanker, weithin reichender Strahl möglich gewesen. Nur so ein gebrochenes Gezische. Zurückziehen ging nicht. Tat viel zu weh. Was also tut unser Helmut? Klemmt vorne die Haut mit Daumen und Zeigefinger ganz zusammen. Läßt Wasser kommen. Hält feste zu. Der Hautballon füllt und füllt sich. Und als er zum Platzen voll ist, spritzt unser Ha-Ha los. Aber leider stimmte die Richtung nicht. Vor lauter Ehrgeiz hat unser Ha-Ha steiler als steil gezielt und spritzt sich die ganze Ladung selber ins Gesicht.

Klaus Buch lachte und lachte und wiederholte dramatische Satzteile. Sabine hatte nur aufgeschrien. Helene Buch lachte ihr hochspringendes, alles durchdringendes Lachen. Helmut befahl sich, am lautesten und am längsten zu lachen. Es gelang.

Einer der schönsten Augenblicke unseres erotischen Vorfrühlings, sagte Klaus Buch mit noch erfüllterer Stimme, ereignete sich in dem Keller von, erinnerst du dich, Rolf Eberle, weißt du noch, in der Rothenwaldstraße, als wir es wieder einmal probierten. Wir anderen waren schon alle ganz schön am Reiben, es war ja dunkel, Licht durften wir nicht machen, sprechen auch nicht, also dachten wir, wir hätten alle schon unsere schmerzhaft schöne Lust im Betrieb, da hörten wir plötzlich Helmuts Stimme ganz ganz leise sagen: Jetzt bin ich ans Pure kommen.

Wieder lachte er los. Hel sagte: Ach wie lieb. Sabine sagte: Ihr wart ja eine schlimme Bande. Helmut lachte ein opernhaft volles Ha-ha-ha-haaa. Klaus wiederholte den Satz, den Helmut gesagt haben sollte, und erklärte, jeder in diesem Keller habe sofort verstanden, daß es unserem Ha-Ha jetzt zum ersten Mal gelungen sei, seine Vorhaut über die Eichel zurückzuziehen. Ecco!

Sabine sagte, sie müsse einfach staunen, weil

Klaus noch alles so genau wisse. Nicht wahr, Helmut?
Kompliment, Klaus, sagte Helmut, du siehst, Sabine glaubt schon, was du erzählst, sei tatsächlich passiert.
Ist es nicht? fragte Klaus.
Nicht daß ich wüßte, sagte Helmut und ärgerte sich über seinen blanken Ton.
Ach, das enttäuscht mich aber, Helmut, sagte Klaus Buch, daß du diese rührenden Kindermomente nicht mehr wahrhaben willst.
Du, ich weiß einfach nichts mehr davon, sagte Helmut. Ich könnte nicht sagen, so war's, oder so war's nicht. Du kannst also erzählen, was du willst, ich kann nur hören und staunen. Du hattest es ja sicher nicht leicht mit uns, damals. Du warst ein bißchen isoliert, glaube ich. Seit du das Vollballonrad hattest, glaube ich. Dadurch ist deine Phantasie angeregt worden. Eigentlich ein ganz normaler Vorgang. Jeder kompensiert.
Sabine gähnte kritisch.
Du, um diesen Punkt werde ich noch ringen mit dir, sagte Klaus Buch. Es muß nicht jetzt sein. Aber daß du die heiligsten Momente unserer Kindheit zum Hirngespinst machen willst, das laß ich dir nicht durch. Solche Kindheitsflämmchen tritt man nicht einfach aus.

Hel sagte wie von höherer Ebene her: Auf dem Wasser hinfahren und Erinnerungen aufwachen lassen, ist ja unheimlich schön. Ich habe nicht gewußt, wie gut das zusammenpaßt, Wasser und Erinnerung. Also wirklich, Helmut, sagte sie und boxte ihn in die Schulter, diese lieben Miniatürchen sind heute in Klaus aufgetaucht, weil Sie da sind. Ich habe nichts von den Fingerübungen der kleinen Männer gewußt. Er allein auch nicht. Sonst hätte er es mir gesagt. Er sagt mir nämlich alles. Was er erzählt hat, haben Sie ihm souffliert. Und jetzt wollen Sie's ihm wieder nehmen. Sind Sie vielleicht auch ein Sadist? Blickwechsel mit Klaus. Dann: Entschuldige, Schatz, das wollte ich gar nicht sagen. Das ist mir einfach so rausgerutscht. Helmut sagte: Also gut, dann laß ich ihm die Puppenschau. Hel küßte ihn dafür an die Schläfe. Sabine sagte: Don't spoil him. Ach Kinder, rief Klaus Buch, ich find's wirklich schön. Mein Gott, daß das Leben so schön sein kann, wer hätte das gedacht. Und das Schönste ist, find ich, daß es auch anders sein könnte. Man hat etwas tun müssen, damit es so schön wurde, wie es in diesem Augenblick ist. In diesem Augenblick, liebe Freunde, ist Höhepunkt! Und wenn noch einer auf diesem Boot zum anderen SIE sagt, fliegt er über Bord. Den

Anordnungen des Schiffsführers ist laut Schiff-
fahrtsordnung unbedingt Folge zu leisten. Klar
zur Wende. Klar. Re.

Helmuts Füße waren durch den Kurswechsel
wieder in den Schatten geraten. Er streckte sie
in die Sonne. Die Fersen blieben eiskalt.

Als sie anlegten, sagte Sabine, daß eine Segelpartie eine solche Wirkung habe, habe sie sich
überhaupt nicht vorstellen können. Vom Ufer
aus sehe das Segeln oft so aus, als passiere da
überhaupt nichts. Sie sei jetzt wie betrunken.
Aber auf die angenehmste Weise. So leicht und
so schwer sei sie. Und wie sie ihre Haut spüre.
So habe sie ihre Haut überhaupt noch nie gespürt. Sie habe das Gefühl, sie sei im Olymp zu
einer Massage gewesen und kehre jetzt, schwerer und schwerer werdend, zur Erde zurück.
Masseur Apoll läßt grüßen, sagte Helmut. Aber
er stimme seiner Frau zu, die Wirkungen einer
solchen Segelpartie seien für einen Nichtsegler
ganz unvorstellbare. Auch er fühle sich durch-
gearbeitet. Er wisse nur noch nicht, von wem
oder was. Apoll sei bei ihm sicher nicht tätig
geworden. Aber ein Gott könne es schon gewesen sein. Er möchte sich auf jeden Fall ganz
ganz herzlich bei Hel und Klaus Buch dafür
bedanken, daß die zwei ihn und Sabine so ge-
duldig auf ihrem Boot ertragen hätten, und er

wünsche beiden noch recht angenehme Urlaubstage. Das ließ Klaus Buch nicht gelten. Abschied! Was? Wie bitte? Ach so, ein echter Ha-Ha-Einfall. Soll es das sein? Er ist ein Sadist, das wissen wir ja, sagte Hel.
Manchmal versucht er's zu übertreiben, sagte Sabine.
Ich sehe, wir sind einig, sagte Klaus. Kinder, Kinder, das war grad ein Schreck. *Wir wünschen euch beiden noch recht angenehme* ... ich werde gleich handgreiflich. Er boxte halb spielerisch, halb ernst auf Helmut ein.
Also, sagte er, da Helmut mit Recht das Gefühl hat, ich wolle, wenn ich ihm beim Essen zuschaue, ununterbrochen sagen *Iß nicht soviel*, treffen wir uns erst nach dem Abendessen ... Mensch, Moment, wie heißt jetzt der mit den Semmeln, rief Helene. Swedenborg, sagte Sabine. Jetzt schreib ich mir'n selber auf, sagte Hel; der hat nämlich ein Gedächtnis wie ein Loch. Wie'n Sieb, bitte, größere Brocken behalt ich, sagte Klaus. Keine Sorge, dann behältst du Swedenborg, sagte Helmut. Also um halb neun, sagte Hel. Helmut zog Sabine fort.
Wir holen euch ab, rief Klaus Buch. Es klang wie eine Drohung.
Jaa-a, rief Sabine. Es klang wie eine Zärtlichkeit.

Helmut und Sabine trotteten zu ihrer Wohnung. Sobald sie von diesen Buchs weg sind, wird's Werktag, wird's finster, ist der Ofen aus. Quatsch. Behaupte lieber das Gegenteil. Helmut fluchte. Verfluchte Sabine. Warum hatte sie ihm nicht geholfen, den Angriff dieses Eß- und Seesportlers abzuwehren? Sabine gab sich überrascht. Hatte Helmut nicht gerade noch den Nachmittag in den höchsten Tönen gelobt. Das hätte er doch nicht getan, wenn ihm die Buchs unangenehm wären, oder? Doch, sagte er. Stimmt, sagte sie, du bist imstand dazu.

5.

Helmut tyrannisierte Sabine so, daß sie rechtzeitig hinauskamen. Fünf vor halb neun standen sie vor der niederen Gartentür. Neben den Mülleimern. Dann war Montagabend. In den elf Jahren war es ihm noch nicht ein einziges Mal gelungen, die Mülleimer hinauszuschleppen. Immer wenn er hinkam, hatte Frau Zürn sie schon hinausgeschleppt. Er hätte gern einmal die Zürnschen Mülleimer und ihren hinausgeschleppt. Hilfsbereit zu erscheinen, würde ihm Spaß machen.
Du mit deiner Hetzerei, sagte Sabine. Jetzt stehen wir da wie bestellt und nicht abgeholt. Er konnte ihr nicht sagen, daß er Klaus Buch und Helene unter keinen Umständen die Zürnsche Ferienwohnung betreten lassen wollte. Wenn die diese Wohnung beträten, würde er hier keine Ferien mehr verbringen. Warum, wußte er nicht. Deshalb konnte er auch mit Sabine nicht darüber sprechen. Um sich für sein anscheinend sinnloses Hetzen zu entschuldigen, schürfte er schnell mit dem Daumen durch ihre Nackenmulde. Ihr Kopf sank auf ihre entgegenkommenden Schultern, die Augenbrauen hoben sich, ihr Körper wurde ein wohliges S.

Buchs fuhren her, sprangen heraus, grüßten, als habe man sich seit Jahren nicht mehr gesehen. In der Wohnung bellte und heulte Otto. Der Arme, sagte Helene.
Stimmt, sagte Helmut.
Klaus, wenn du auf deine Hände ein bißchen besser aufpaßt, könnten wir ihn mitnehmen, sagte Helene.
Bitte, ich kann mir ja auch Handschuhe anziehen, sagte Klaus.
Deinetwegen muß der arme Hund den ganzen Abend ...
Bitte, unterbrach er sie, bitte, holt ihn heraus.
Nein, rief Sabine.
Das ist ein Wort, rief Helmut und rannte und holte den vor Freude Hochsprünge machenden Otto.
Otto, rief Sabine, pfui, Otto, pfui!
Helmut gratulierte Klaus zu dieser Selbstüberwindung.
Es gelang Helmut, den Promenadenbummel schon bald in eine Weinstube zu lenken. Er gestand, daß er nie etwas anderes vorgehabt hatte. Der Gedanke, einen Abend ohne Wein verbringen zu müssen, lähme ihn.
Also wir reichen dir nicht, sagte Helene.
Helmut zögerte, schaute Hel zu lange an und sagte mit ruhigem Kopfschütteln: Nein.

Zum Wohl, sagte Sabine versöhnlich.
Halms tranken Wein, Buchs tranken Wasser. Helmut begriff nicht, wie die Buchs bei dem dann folgenden Gespräch über Wein und Wasser so lebhaft werden konnten. Er trank sein erstes Viertel immer ziemlich schnell, weil er, ohne etwas getrunken zu haben, nicht die geringste Lust hatte, den Mund aufzumachen.
Plötzlich schrie Klaus Buch: Nein. Sabine sagte: Jetzt hast du's. Helmut rief: Otto, down. Klaus Buch stand, hielt mit der einen Hand die andere, als sei die schwer verletzt.
Hel sagte: Also, Klaus, bitte!
Klaus, weiterhin seine Hand haltend, sagte: Er hat so eine kalte nasse Zunge, Mensch, du hast doch überhaupt keine Ahnung. Und immer bloß mich, warum denn immer bloß mich. Versteht ihr das?
Helmut sagte: Nein.
Sabine sagte: Jetzt darf er nie mehr mit. So. Und zu Otto hinunter: Böser Hund.
Hel sagte: Armer Otto. Er kann einem wirklich leid tun.
Wer, rief Klaus Buch.
Hel sagte: Du natürlich auch, Schatz.
Helmut sagte fröhlich: Es gibt nichts, was einem nicht leid tun kann.
Klaus Buch sagte: So, jetzt lege ich meine

Hände auf den Tisch, bitte, wenn jemand bemerkt, daß ich aus Versehen eine Hand vom Tisch nehme, sagt er es mir sofort.
Helmut bemerkte, daß Klaus Buch im Verhältnis zu seinem fast zierlichen Körperbau auffallend massive Gelenke hatte. Diese Unterarme. Deutlich kräftiger als seine. Und die Hände, breiter. Die Finger, stärker. Es war gar keine Frage, daß der auch ein größeres, fähigeres Geschlechtsteil hatte. Trotzdem glaubte Helmut zu bemerken, daß Hel sich gern ein bißchen lustig gemacht hätte über den Körpergesundheitsdienst ihres Mannes.
Und jedes Mal, wenn sie mit ein bißchen weniger als Schmacht zu ihm hinschaute, sagte er sofort mit mutloser Stimme: Du magst mich nicht mehr, gell. Darauf ließ sie ihre Lippen sich jedes Mal sofort zum Kuß formieren und küßte hinüber zu ihm. Helmut hatte das Gefühl, sie küsse einfach hinüber, egal, wo es gerade hintreffe. Aber wenn man die braunen Arme und Hände der beiden und Helmuts und Sabines Arme und Hände auf dem Tisch liegen sah, wußte man, wer zusammengehörte.
Helmut spürte, daß ihm heute Zigarren und Wein schon weniger schmeckten als am Tag zuvor. Er hatte Angst, er könne seine Gewohnheiten gegen dieses Paar nicht verteidigen. Die

griffen ihn ununterbrochen an. Beide. Die machten ihn fertig. Es genügte, mit denen am Tisch zu sitzen, um sich widerlegt zu fühlen. Hel hatte inzwischen Klaus Buchs Hände in die ihren genommen. Sie hatte ihn überhaupt an sich genommen. Er hing ihr irgendwie unter einem Arm, den Kopf an ihrer Brust. Helmut und Sabine bemerkten gleichzeitig, daß Klaus drauf und dran war, einzuschlafen.

Leise, sagte Sabine, er schläft.

Hel erklärte, daß Klaus seit einigen Tagen jeden Morgen auf dem Sportplatz am Yachthafen fünf Runden gelaufen sei; sie als Zeitnehmerin; beste Zeit, 5:11; also habe Klaus sich für ein läuferisches Genie halten müssen; 2000 Meter in 5:11, das sei, zum Beispiel, russische Jahresbestzeit; aber heute morgen habe Klaus von so einem furchtbaren, alten Freiübungenmacher hören müssen, die Bahn habe nicht 400 Meter, wie es sich gehöre, sondern nur 300, also sei Klaus nicht 2000, sondern nur 1500 Meter gelaufen. Sie hätte den zynischen Freiübungenmacher umbringen können. Kann der so'n Quatsch nicht für sich behalten. Klaus murmelte: Helmut, bitte, jetzt sag mir bloß, wie hat der Physikpauker immer gerufen im Parterre? Helmut wußte es nicht. Mensch, Helmut, stöhnte Klaus und zeigte ein schmerzverzerrtes Gesicht, der

Physikpauker, der immer brüllte: Das Untergeschoß gehört mir. So ähnlich. Parterre ist mein Bereich. Oder so. Ich brauche den Satz. Wenn du nicht ganz ganz genau den Satz hast, hast du gar nichts. Ein Wort an der falschen Stelle, und der Satz ist taub, tot. Sobald du das Wort an die richtige Stelle kriegst, SESAM ÖFFNE DICH, der Pauker steht da, brüllt, du stehst da, alles klar. Jetzt hilf mir doch, Helmut, bitte.
Jetzt helft ihm doch, bitte, seht ihr nicht, wie er leidet, sagte Hel, er wird schon ganz blau vor Erinnerungssauerstoffknappheit. Helmut!
Helmut sagte automatisch: Der ganze untere Stock gehört der Physik. Ja, Mensch, ja, brüllte Klaus Buch, sprang auf, fiel Helmut um den Hals und wimmerte weitere Ja's. Und wiederholte selig: Der ganze untere Stock gehört der Physik. Helmut sah über Klaus Buchs Schulter zu Hel hin. Er wollte ihr zu verstehen geben, daß allein sie den Satz eines längst verstorbenen Physiklehrers aus dreißigjähriger Tiefe hervorgerufen habe. Klaus murmelte glücklich: Ruf die Bedienung. Helmut brüllte förmlich alarmiert: Zahlen. Alles zusammen!!
Klaus bedeckte beide Augen mit einer waagrechten Hand. Er spielte einen, der nicht Zeuge eines Unglücks werden will. Hel sagte – und streichelte ihren Klaus übertrieben mütterlich –,

jetzt hätten Halms ihren Klaus aber arg beleidigt. Sie verfiel dabei völlig unvermittelt in ein groteskes Schwäbisch. Klaus fuhr auf und hielt sich beide Ohren zu. Hel steigerte den schwäbischen Groteskton noch, als sie mitteilte, es plage ihren Klaus so richtig, wenn sie seine Muttersprache nachahme. Klaus Buch sprang auf. Darauf sagte Hel in einem genau so grotesken Bairisch, Klaus sei ein spinnerter Hammel, er solle sich nicht so haben, wenn sie jetzt ein Piano hätte, hätte er seine Ruhe vor ihr. Bei ihrem Bairisch hatte ihr Gesicht, als verlange das die Sprache, einen bösen Ausdruck angenommen. Klaus stand jetzt vor ihr, als wolle er sie hypnotisieren. Sie sagte: Nicht diesen Blick, Junge! Und wischte ihm über die Augen. Klaus sagte: Du magst mich nicht mehr, gell. Sie küßte hin. Man konnte gehen.
Die Buchs wollten Helmut und Sabine zu einem Tennisspiel überreden. Das wurde mit Erfolg abgewehrt. Gut, dann wandere man gemeinsam. Buchs seien um acht – um neun, rief Helmut schrill – bei Halms. Mit dem Wagen. Da Halms schon seit elf Jahren in die Gegend kämen, müßten sie Wandermöglichkeiten kennen, Helmut solle sich gefälligst etwas einfallen lassen über Nacht.
Als Helmut hinter den wunderbar geraden Git-

tern ihrer Parterrewohnung lag, wurde er wieder froh. Zum Glück hatte Sabine gleich nach ihrem Wagner-Mein-Leben gegriffen. Zum Glück hatte sie keinen Versuch gemacht, ihn zu berühren. Er hoffte, sie liege so neben ihm wie er neben ihr. Das wäre eine Lebensleistung. Von beiden vollbracht. Wenn er sicher wäre, daß Sabine genau so weit war wie er, hätte er jetzt gesagt, wie angenehm es sei, in dieser isolierten Wohnung zu liegen. Er hätte gern ausgesprochen, wie entsetzlich es wäre, jetzt unter einem Dach mit den Buchs zu liegen. Dann hätte aber Sabine gefragt, warum. Dann wäre vielleicht herausgekommen, daß Sabine noch nicht so weit war wie er.

Helmut dachte an eine Nacht vor zwölf Jahren: Während des letzten Urlaubs, den sie in Italien verbracht hatten. In einem Hotel in Grado. Sie wollten gerade zueinander, da hörte er aus dem Zimmer nebenan ein Geräusch, als schlüge ein riesiger Hammer auf ein Bett ein. Jeder Schlag ging deutlich durch die ganze Federung hindurch und endete hart. Das Erstaunliche bei diesem Geräusch war, angesichts der vermutbaren Wucht des Hammers, der da schlug, die rasche, wahnsinnig rasche Folge der Schläge. Helmut hatte sofort gespürt, daß er keinen eigenen Rhythmus finden würde, solang der da drüben so zuschlug. Er hatte bemerkt, daß Sabine auch nur noch hinüberhorchte. Sie mußte, mußte, mußte ihm das doch vorwerfen, daß er kein solcher Hammer war. Beide lagen und hörten nur noch, was ein Mann leisten kann. Helmut hätte das nicht für möglich gehalten. Sollte er die Schläge zählen? Ihm war zum Ersticken heiß. Er schämte sich entsetzlich. Er war im Unrecht. Der drüben war im Einvernehmen mit der Epoche. So muß man sich früher am Pranger gefühlt haben. Wer den Sexualitätsgeboten dieser Zeit und Gesellschaft nicht genügte, war praktisch ununterbrochen am Pranger. Die Druckwaren sorgten dafür. Mit Wort und Bild. Jetzt flieh. Wohin? Umbringen. Sie. Sie erwürgen. Aber seine Hände rührten sich nicht. Ihm kam es vor, als ginge das Hämmern eine unendlich lange Zeit. Es hörte einfach nicht mehr auf. Er kriegte keine Luft mehr. Er atmete ja auch nicht mehr. Nachher sagte er sich auch, daß das Ganze vielleicht doch nur 11 oder 21 oder höchstens 29 Minuten gedauert habe. Aber solange es dauerte, schien es überhaupt, überhaupt nicht aufhören zu können. Wenn ihm wenigstens ein Satz eingefallen wäre, der Sabine und ihn aus dem Bann des bloßen Zuhörens befreit hätte. Ihm war nichts eingefallen. Gebannt hatten sie zuhören müssen, bis es zu Ende war. Wenn sie jetzt mit Klaus und Helene Buch im selben Hotel schliefen, würde Sabine sich sicher vorstellen, was die Buchs jetzt täten, und unwillkürlich würden Klaus Buch und jenes italienische Hotelerlebnis einander berühren, in eins fließen, Klaus Buch wäre dann der von damals. Die stünden unheimlich auf Federn. Was immer das ist, dachte Helmut, mich geht es nichts an. Aber Sabine. Sabine war die Stelle, an der er verletzbar war. Wollte er wettbewerbsfähig sein? Wenn er in den Druckwaren die Zahlen las, die man erbringen mußte, wenn man nicht als impotent gelten wollte, kam er sich vor wie am Pranger. Er fühlte sich schon seit Monaten nicht mehr aufgelegt, seiner Geschlechtlichkeit zu entsprechen. Daß die einander öffentlich vorschrieben, wie oft sie auf ihre Frauen kriechen müssen, um nicht als impotent zu gelten, erregte bei ihm Widerwillen und Ekel. Sobald er das Bedürfnis spürte, sich geschlechtlich zu betätigen, brauchte er nur an die furchtbare Propaganda in den Druckwaren zu denken, dann wurde er ruhig. Er hoffte, das läge bald ganz hinter ihm. Aber bevor er nicht mit Sabine gesprochen hatte, lag nichts hinter ihm. Er hätte ihr längst sagen müssen, was bei ihm dazwischenkam, wenn er zu ihr hinüber wollte. Kaum dachte er an sie, wollte sie berühren, fiel ihm etwas Verhinderndes ein. Es kam ihm dann völlig lächerlich vor, sich hinüberzuwälzen, oder die Hand vorauszuschicken, oder Sabine direkt zu fragen, oder ein verführendes Gespräch anlaufen zu lassen. Nichts kam ihm dann so unerträglich komisch vor wie alle vom Geschlechtlichen bestimmten oder auf es gerichteten Handlungen. Und er hatte das Gefühl, das könne mit der Art der öffentlichen Empfohlenheit dieser Handlungen zu tun haben. Wollen, ja. Tun, nein. Daß er einmal nicht mehr wollen würde, wagte er nicht zu hoffen. Es würde wahrscheinlich immer eine Art offener Wunde sein. Er mußte Sabine wenigstens sagen, daß er nicht ruhig neben ihr liegen könne, solang er nicht wisse, ob sie ruhig neben ihm liege. Er wollte ihr ein Zeichen geben. Deshalb schob er seine Hand vorsichtig zu ihr hinüber und ließ sie in der Nähe ihrer Schulter liegen. Er beneidete Klaus Buch nicht um das, was der jetzt im Augenblick exekutieren mußte. Wirklich nicht? Er hatte diesen durch und durch gehenden Sensationen gegenüber keine entschiedene Meinung und schon gar keine eindeutige oder gar eindeutig negative. Das öffentliche Gebot der Luststeigerung gab er in der Schule lauthals weiter. Galt er nicht als fortschrittlich? Das war ein Feld, wo er sein Inkognito noch gerettet hatte. Er galt als sehr fortschrittlich. Vor sich selbst berief er sich auf das Recht auf Meinungsfreiheit. Er mußte ja wohl nicht den Schein, den er in der Schule produzierte, in seinem häuslichen und innersten Leben praktizieren. Sollte das Gebot der Luststeigerung während der Freizeit nicht bewirken, die Lustleistungen eines jeden zu seiner Sache zu machen? Wie die Schule die Noten einem jeden als seine Noten verpaßte. Er glaubte berechtigt zu sein, in der Schule die Ächtung der Unlust zu betreiben, wie es die Gesellschaft wollte, zu Hause aber die Ächtung der Lust zu versuchen, wie er es wollte. Nichts gegen FAZ, BILD, Parlament und Schule. Wie sollten denn die Leute das Leben aushalten, ohne Schein! Er merkte doch, wie schwierig es war, sich nur für Augenblicke und nur um eine Winzigkeit und nur versuchsweise aus dem Herrschaftsbereich des Scheins zu entfernen. Sofort fühlst du dich am Pranger. Also rasch zurück in die Lustfront, Freizeitfront, Scheinproduktionsfront. Aber immer wieder diese Versuchung, sich zu entfernen. Außer Sabine durfte es niemand bemerken. Sie mußte sogar mitmachen, sonst kam er nicht weg. In der Schule würde er weiterhin den verlangten Schein produzieren. Zu Hause aber würde er sich gehen lassen. Er hatte den Zustand, in den er dann gelangte, schon getauft: blutige Trägheit. Das war seine Lieblingsstimmung. Da empfand er seine ganze Schwere, aber mit Zustimmung. Diese Schwere, ein bißchen schwitzend. Mit Zustimmung. Schwer und schwitzend und blaß. Auch die Farbe empfand er mit Zustimmung. Leichenfarbe. Mit Zustimmung. Er, eine schwere, schwitzende Leiche, das war seine Lieblingsstimmung, blutige Trägheit. Wie Sabine hereinziehen? Wahrscheinlich lebte sie noch unter dem ungeschwächten Diktat des Scheins. Man müßte ihr eine Ahnung vermitteln vom Gegenteil. Luxus, würde sie sagen. Sie mit ihrem sozialen Engagement, beziehungsweise dem Engagement, das der Produktion sozialen Scheins diente. Er merkte, daß bei ihm der Ekel wegweisend war. Er war fein heraus. Er hatte seinen Ekel. Seine Position hinter der Position. Er hatte seine Freude am Mißverstandenwerden. Täuschung, war das nicht die Essenz alles Gebotenen? Das Ziel der Scheinproduktion! War er mit seiner entwickelten Täuschungsfähigkeit und -freude nicht ein Ausbund all dessen, was hier und heute gewollt war? Von wegen Einsamkeit, Luxus, Abseitigkeit! Ein Repräsentant war er! Der typischste Typische überhaupt war er! Er war der Prototyp! Schön.

War er hineingekommen, genoß er sie jetzt, seine blutige Trägheit? Fast. Ja, fast.
Diese herrliche Stimmung war leider sehr temperaturempfindlich. Es mußte warm sein. Er mußte es warm haben. Die geringste Spur von Kühle zerstörte alles. Daß er immer noch kalte Füße hatte, störte ihn. Es durfte einem nichts mehr unangenehm auffallen, dann war man drin. Er begriff nicht, warum seine Füße nicht mehr warm wurden. Die schmerzten vor Kälte. Er zog seine Socken an. Sabine, die noch ihr Wagner-Mein-Leben las, fragte, was er habe. Kalte Füße, sagte er schonungslos. Aber die Socken machten seine Füße eher kälter als wärmer. Verfluchtes Kunstfaserzeug, sagte er, riß sich die Socken herunter und holte seinen wollenen Pullover. In den wickelte er die Füße hinein. Wenn er mit einem Fuß den anderen berührte, merkte er, daß beide Füße warm waren. Trotzdem spürte er in jedem Fuß für sich ein Kältegefühl, das schmerzte.
Sabine legte das Buch weg und streckte eine Hand herüber. Er drückte die Hand flüchtig und wollte sie Sabine zurückgeben. Aber sie streckte die Hand gleich wieder herüber. Laß mich doch, sagte sie in einem Ton, der ihr, nach seinem Empfinden, nicht mehr zustand. Also ließ er ihre Hand auf seiner Schulter liegen.

Seine Hand hatte er zurückgezogen. Er würde sich unmerklich wegdrehen, um ihre Hand, die ihn jetzt störte, wieder loszuwerden. Aber Sabine bemerkte seine Absicht. Offenbar war sie völlig auf die auf Helmuts Schulter liegende Hand konzentriert. Diese Hand war ihr Korken, der ihr verriet, ob einer anbiß. Er würde nicht anbeißen. Was fiel ihr überhaupt ein, jetzt plötzlich wieder sowas anzufangen. Er konnte doch annehmen, daß der glücklich erreichte Versuchszustand nicht ganz ohne ihre Zustimmung erreicht worden war. Wenn sie weiterhin so mit ihrer Hand agitierte, würde er sie fragen müssen, wie es ihrerseits zu diesem Rückfall komme. Es blieb tatsächlich nichts anderes übrig. Sie hörte nicht auf. Und wenn er nichts sagte, dann stellte sie sich auf Fortschritt ein. Und wenn sie Erwartungen wachsen ließ, würde er zu bezahlen haben. Vielleicht mußte man das fällige Gespräch führen. Was soll jetzt das, Sabine, sagte er ruhig. Sie antwortete mit Lauten, die er lieber nicht gehört hätte. Draußen blitzte und donnerte es. Ein Nachtgewitter. Auch das noch. Wahrscheinlich hielt sie ein Gewitter für eine Begünstigung. Oder gar – wenn sie sich schon zu sehr hineingesteigert hatte –, für eine Aufforderung. Aber Sabine war doch keine Wagnerianerin. Dann frag ich eben

Klaus, ob er mit mir schlafen will, sagte sie. Um Gottes Willen, Frau, dachte er, sag das nicht. Ganz langsam und so milde als möglich machte er: Pschscht. Er streichelte jetzt ihren Kopf. Nur die Haare. Eindeutig beruhigend. Ablenkend. Plötzlich prasselte draußen ein Regen herab. Das hielt er für eine Lösung. Ganz langsam zog er seine Hand zurück. Er zog seine Knie an, suchte die Knie mit dem Kinn, machte sich so klein als möglich. Er hatte das Gefühl, er habe die letzten Jahre allein gelebt. Sabine, dachte er, hörst du mich? Er hatte sie gekränkt, vorher. Er konnte sich nicht mehr rühren. Er war starr. Vor Schrecken. Sie waren einander so nahe, daß er jede Kränkung, die er ihr zufügte, empfand, als würde sie ihm zugefügt. Erst viel später, als er sicher sein konnte, daß Sabine eingeschlafen war, löste sich die Starre. Er konnte daran denken, auch einzuschlafen.
Er träumte, er drehe sich in seinem Sarg um und habe trotz der vollkommenen Dunkelheit den Eindruck, daß eine Sargwand fehle. Dieser Eindruck war so stark, daß sich eine Hand zu bewegen begann und dahin tastete, wo die Wand fehlen mußte. Tatsächlich, sie war nicht da. Sofort folgte, schon rascher, eine Bewegung nach oben. Der Sargdeckel war da. Aber da, wo die Wand fehlte, mußte die Hand ängstlich

hinaustasten. Sie spürte eine Stufe. Er mußte sich hochstemmen und kam außerhalb des Sargs auf die Stufe zu liegen. Da konnte man nicht bleiben. Er rollte, ohne es zu wollen, auf der anderen Seite der Stufe abwärts und blieb liegen. Aber jetzt war klar, daß er sich in einer Halle befand, aus der man hinauskommen konnte. Daran war er interessiert. Er wußte, daß er zurückkommen würde ans Tageslicht, zu den Leuten. Und er wußte, es gab nur eine Bedingung: wenn dich ein einziger erkennt, ist es aus, für immer. Er erwachte vor Angst und dachte: das neue Leben.

6.

Um fünf vor neun standen Helmut und Sabine unter dem Vordach und sahen den dicken Hummeln zu, die in die zarten Blüten krabbelten. Helmut machte sich lustig über die Samenhöschen der Hummeln. Er wollte Sabines Gesicht vor Buchs Ankunft zum Lächeln bringen. Es gelang ihm nicht. Erst als das schöne alte silberfarbene Mercedes-230-Coupé heranbog, lächelte sie. Die Frauen mußten sich auf dem engeren Rücksitz einrichten. Helmut sagte, das tue ihm gut, die Frauen so eingezwängt zu wissen. Wohl zuviel de Sade gelesen heute nacht, sagte Klaus Buch. Darum hast du auch deinen vierbeinigen Folterknecht nicht daheimgelassen. Sollte der nach Klaus' Hand schnappen, wenn die gerade herunterschalte, sei die Katastrophe sicher. Endlich eine Katastrophe, sagte Helmut. Wir lassen ihn da, sagte Sabine. Jetzt motz nicht rum und fahr, sagte Hel.
Du magst mich nicht mehr, gell, sagte Klaus in dem mutlosen Ton. Wohin geht's überhaupt?
Auf den *Höchsten,* sagte Helmut, und gab die Richtungen an.
Aber Klaus konnte die Hand nicht an den Schaltknüppel legen, weil er Angst hatte, Otto

werde das ausnützen und seine Hand ablecken. Wir lassen ihn da, rief Sabine, schrie sie fast. Hel, noch schriller: Ich fahre. Klaus Buch mußte sich nach hinten setzen. Jetzt hatte Hel ihre Brille nicht dabei. Sabine bot ihre an. Hel probierte sie. Zur allgemeinen Freude paßte sie. Wie schön sie dich entstellt, sagte Klaus. Hel streichelte Otto. Das tat Helmut gut. Das Hinterland, sagte er, ist ein Paradies.

Er versprach eine Wanderung durch schöne stille Hochwälder. Dann einen Rundblick von Vorarlberg bis nach Bern. Dann spürte er, wie sein Ton sich heben wollte. In den Wäldern werde es sich gehen wie in lauter Domen. Bloß das Licht werde lebendiger und die Luft besser sein. Das Wichtigste an diesen Wäldern sei, daß sie noch das alte Gefühl der Endlosigkeit erzeugten.

In Limpach ließ er halten. Er sprang aus dem Auto. Plötzlich war er von einem Eifer ergriffen, der ihm selber fremd war. Er wußte nicht mehr, ob er mit Sabine von diesem Ort aus gewandert war. Er wollte so tun, als sei er ganz sicher. Er ließ aussteigen. Ja, von hier aus zu Fuß. In den Wald. Im Wald bog er von der geteerten Straße ab. Nach fünf Minuten Wegs wurde das Unterholz so dicht, daß man nicht mehr durchkam. Otto rannte aus dem Wald hinaus. Man folgte ihm. Inzwischen regnete es. Da das Vorwärtskommen zwischen Waldrand und Wiese auch beschwerlich war, rannte man, noch einmal unter Helmuts Führung, quer über die Wiese auf eine Baumgruppe mit Kreuz zu. Helmut hoffte, hier das Ende des Regens abwarten und dann auf einem Feldweg weiterwandern zu können. Unter der Baumgruppe stand eine Bank, auf die sie sich fallen ließen. Helmut wußte nicht mehr, wo sie waren. Klaus Buch erinnerte daran, daß er, als sie vom Auto weggegangen waren, gefragt hatte, was man tun werde, falls es regne. Wir gingen ja durch den schönen, domhohen lichtgewaltigen und duftvollen Unendlichkeits-Wald, habe Helmut getönt. Und jetzt, wo sei der Wald, der schöne, hohe, licht- und duft- und unendlichkeitsvolle. Weiter droben komme ein solcher Wald, sagte Helmut, schrie er mehr als er sagte. Er war einfach erregt. Wieviel weiter droben? 300 Meter vielleicht, mein Gott, ob jetzt um jeden Meter gekämpft werden müsse, wo es sowieso gleich aufhöre zu regnen. So, sagte Klaus Buch, woher denn das Wetter komme, bitte. Alle sahen ihn an. Von Westen, sagte Helmut in einem Ton, der geduldige Nachsicht mit dem Frager verriet.

Eben nicht, sagte Klaus Buch im Ton, in dem

man sagt: Hereingefallen. Helmut sagt, sagte Klaus Buch, das hört gleich wieder auf, weil er nur in den hellen Westen schaut. Aber da steckt man doch wenigstens einmal den Finger in den Mund und hält ihn rasch in den Wind, dann weiß man, daß heute das Wetter von Osten kommt. Ich sage euch eins, wir rennen jetzt sofort los, in 10 Minuten regnet es, daß wir uns hier nicht mehr bergen können. Aber wohin sollen wir rennen, fragten die Frauen. Und zwar fragten sie Klaus Buch. Dort hinter Baumkronen habe er ein Hofdach entdeckt. Und er rannte schon voraus. Die Frauen folgten. Otto rannte hinter Sabine her. Also blieb Helmut nichts übrig, als auch zu folgen.
Naß vom Regen und vom Schwitzen verschnauften sie unter dem Scheunenvordach. Klaus Buch, der lange vor den Frauen und Helmut angekommen war, hatte ihnen entgegengelacht. Er schien kein bißchen außer Atem zu sein. Also ein Wald wäre tatsächlich nicht das Schlechteste bei diesem Regen, rief er. Dieser Regen nimmt nämlich immer noch zu. Da, die Wand, da kommt noch was. Es bleibe nichts übrig, als die Oberkleider herunterzureißen und mit nacktem Oberkörper bis hinaufzurennen, dann habe man droben etwas Trockenes anzuziehen. Er sagte es und zog sich schon aus.

Ebenso Hel. Helmut dachte, hoffentlich kommt niemand aus dem Hof. Da Hel keinen Büstenhalter trug, hatte sie, als sie Jacke und Bluse ausgezogen hatte, einen nackten Oberkörper. Ihre Brüste wirkten hier noch viel neugieriger als auf dem Boot. Helmut schaute wieder nur im Vorbeischauen hin. Er und Sabine behaupteten, sie gingen immer in Kleidern durch den Regen. Das seien sie so gewöhnt. Gebe es etwas Schöneres als einen warmen Sommerregen?
Klaus rannte los. Sie erreichten die Landstraße. Auf der ging es im Eilmarsch hinauf zum Aussichtslokal. Bis Helmut und Sabine mit Otto ankamen, stand Klaus Buch schon frisiert und frisch vor der Tür. Helmut war vom Schwitzen und vom Regen gleich naß. Er keuchte. Auch Sabine sah erbärmlich aus. Klaus Buch lachte und sagte, bloß gut, daß Helmut die Wanderung selber geplant habe. Helmut sagte so fröhlich als möglich: Ach, ich war das, stimmt ja. Du wolltest hier herauf, sagte Klaus Buch, oder nicht? Helmut schaute den Grinsenden lächelnd an und dachte, wenn der jetzt nur einen Hauch meines Hasses spürt, rennt er weg. Dabei klopfte er Klaus Buch freundlich auf die Schulter und sagte: Natürlich war ich das. Wetter, Orientierung, überhaupt alles, was außen

stattfindet, wird bei mir zur Katastrophe. Wenn das Volk Israel auf mich angewiesen gewesen wäre, säße es heute noch in Ägypten.

Gott sei Dank, er hatte sich wieder unter Kontrolle. Während des Eilmarsches durch den Regen hatte er mit Widerwillen an die paar Sekunden gedacht, in denen er seinen Ärger nicht mehr hatte verbergen können. Es gab überhaupt nichts Ekelhafteres für ihn als dieses Offendaliegen vor einem anderen. So etwas wie Lebensfreude entwickelte sich bei ihm wirklich nur aus dem Erlebnis des Unterschieds zwischen innen und außen. Je größer der Unterschied zwischen seinem Empfinden und seinem Gesichtsausdruck, desto größer sein Spaß. Nur wenn er ein anderer schien und ein anderer war, lebte er. Erst wenn er doppelt lebte, lebte er. Alles Unmittelbare, ob bei sich oder bei anderen, kam ihm unhygienisch vor. Ließ er sich zu einem Ausbruch hinreißen – egal, ob des Ärgers oder der Freude –, überfiel ihn danach meistens eine geradezu panische Schwermut. Er glaubte sich verloren. Jeder konnte jetzt machen mit ihm, was der wollte. Manchmal hörte man in der Ferienwohnung den Hausherrn durch das Haus brüllen. Es klang, als verende Dr. Zürn gleich an der Anstrengung, die dieses Brüllen bereite. Helmut dachte dann jedes Mal – gewis-

sermaßen beschwörend –: Bloß das nicht! Bloß das nicht! Er hatte Notmaßnahmen trainiert gegen Ausbrüche jeder Art. Eine vielleicht noch etwas eckig wirkende Fröhlichkeit hatte er trainiert. Die setzte er auch jetzt ein vor der Tür des Aussichtslokals.
Klaus Buch führte Helmut und Sabine zu den Toiletten. Plötzlich hörte man Klavierspiel. Ziemlich mächtig. Klaus Buch erstarrte, hinderte auch Helmut und Sabine an jeder weiteren Bewegung. Sein Gesicht arbeitete. Besonders der Mund. Die Zunge wälzte sich hinter den Lippen, wollte irgendwo, vor allem an der Oberlippe, durchbrechen. Sabine sagte: Die *Wanderer-Fantasie*. Klaus Buch rannte hinaus. Helmut ging ins Lokal. Hel saß am Klavier und spielte. Sabine ging schließlich zu ihr hin und sagte ihr etwas. Sie hörte auf. Helmut sagte, als sie vorbeiging: Schön. Sabine und Helmut folgten ihr hinaus. Sie sahen Klaus Buch in einem geradezu wilden Tempo fortrennen. Quer über die Wiesen. Plötzlich stoppte er, änderte seine Richtung, rannte weiter, auf einen Baum zu, lehnte sich an den Stamm, steckte die Hände in die Tasche und sah vor sich hin. Hel sagte: Geht nur rein, wir kommen gleich. Dann ging sie, mit fast zu festen Schritten und ohne den Blick von Klaus zu lassen, auf den zu.

Als Helmut und Sabine von den Toiletten kamen, waren Hel und Klaus noch nicht zurück. Aber sie kamen, bevor Halms die Suppe gegessen hatten. Beide lächelten, gingen eng aneinander, ein glückliches Paar. Bei ihnen sah das Naßgewordensein heroisch aus. Als alle die Suppe gegessen hatten, fragte Klaus Buch, wie weit es noch sei auf den *Höchsten.* Helmut sagte, man sei schon droben. Da kriegte Klaus Buch einen Lachanfall, daß er aufstehen mußte. Der *Höchste,* rief er immer wieder, der *Höchste,* Hel, was sagst du dazu, wir sind auf dem *Höchsten,* also diesen Berg würde ich einfach den *Allerhöchsten* taufen.
Helmut war diese Schau peinlich wegen der Bedienung und wegen der anderen Gäste, die offenbar hier heroben ihren Urlaub verbrachten. Auch wegen Klaus selber war es ihm peinlich. Helmut hatte das Gefühl, Klaus finde die Tatsache, daß dieser Berg der *Höchste* hieß, gar nicht so komisch, wie er tat. Er wollte das komischer finden, als er es fand. Hel hatte sich von Klaus zu einem Lachen hinreißen lassen, das zwar hoch und hell, aber noch viel künstlicher klang als das von Klaus.
Halms dürften das, bitte-bitte, nicht falsch verstehen, sagte sie. Für sie und Klaus sei Wanderung etwas, was nicht unter sechs Stunden zu

erledigen sei. Daß man nach einer Stunde am Ziel sei, sei für sie eben wahnsinnig komisch. Helmut sagte, bei schönem Wetter sei der Rundblick von hier schon ziemlich einmalig. Als Klaus Buch wieder lachen wollte, rief Hel: Klaus, bitte, Helmut wird ganz traurig, wenn du so lachst.
Er versuchte, einen Blick hinzukriegen, den sie überhaupt nicht verstehen konnte. Er wollte rätselhaft aussehen. Und hart. Und undurchdringlich. Er hatte das Gefühl, das gelinge ihm nicht, weil er plötzlich nur noch ihre Nase anschaute. Also so eine Nase. So etwas von einem Näschen. Er würde nicht wahnsinnig werden. Als er zwanzig war, hatte sich bei ihm allmählich eine Empfindung gebildet, die hieß: du wirst nicht wahnsinnig werden, niemals. Er bemerkte, daß Sabine sein Versinken bemerkt hatte. Er nickte ihr aus der Tiefe zu und sagte: Schmeckt's.
Klaus Buch fluchte auf das Essen. Erstens war ihm die Panierung zu dick, zweitens war das Schweinefleisch, drittens war der Salat ein Matsch. Er tat nichts, um die Bedienung zu schonen. Die stand mit zementfarbenem, schwerem Gesicht unter einem künstlichen Haarturm und schien unglücklich zu sein. Als sie sich, von Vorwürfen beladen, endlich

stumm umdrehte und mühsam wegging, sagte Hel leise, dieser Oldtimer-Minirock der Bedienung sei schon sehenswert. Ein ziemlich einmaliger Rundblick eben, sagte Klaus Buch, prustete los, da mußte Hel auch wieder. Beide ließen vor Lachen ihre Bestecke auf die Platten fallen. Helmut und Sabine mußten überhaupt nicht lachen. Sabine versuchte wenigstens, ein pfiffiges Gesicht zu machen. Helmut probierte in einem ganz und gar scherzhaften Ton zu sagen: Kinder benehmt euch. Hel sah ihn mit einem Wonneblick an und sagte: Ja, Papa. Helmut versuchte, den Ton fortzusetzen mit: Sonst gibt's. Dabei sah er sie ein bißchen länger an als es für den kurzen Satz nötig gewesen wäre.
Sabine sagte: Das Wetter wird besser.
Bevor Klaus Buch, der jetzt offenbar soweit war, über alles ins Lachen verfallen zu können, wieder loslachte, sagte Hel: Pscht.
Helmut rief die Bedienung, sagte, er wolle zahlen. Das Essen sei ausgezeichnet gewesen. Es machte vierundfünfzigzwanzig, Helmut sagte: Sechzig. Beteiligungsversuche Klaus Buchs tat er rigoros ab.
Helmut wollte wenigstens auf dem Rückweg noch Wälder bieten. Er bog gleich unter dem Restaurant von der Landstraße ab. Sie traten in einen geräumigen Wald. Helmut hätte es gern

gehört, wenn jemand etwas über die hohen Stämme gesagt hätte oder über das grüne Licht oder über den Waldduft.
Als Otto plötzlich verschwunden war und auf Helmuts und Sabines Rufe nicht kam, steckte Helene Buch vier Finger in ihren Mund und pfiff, daß der Wald gewaltig hallte und Otto sofort zurückkam. Helmut hatte das Gefühl, Helene Buch habe den Wald begriffen. Konnte sie ihn nicht noch einmal so zum Klingen bringen? Aber Klaus Buch schimpfte, seit man, kurz vor dem Wald, an einem Kornfeld vorbeigegangen war, über die Bauern, die in diesem Jahr, allein in Baden-Württemberg, 650 Millionen Mark Dürreprämien kassieren würden und man solle sich einmal diese Felder anschauen, wie die dastünden, eine Ähre so schön voll wie die andere. Ob sie auf dem Weg vom See bis hier herauf irgendwo einen Dürreschaden gesehen hätten? Er nicht. Aber diese Schwindler kassieren und kassieren. Na ja, er sage das nur, weil er neidisch sei. 650 Millionen Mark Schwindelprämien, und er kriege davon keine Mark ab, das erfülle ihn mit Trauer und Verzweiflung. Er könne einfach keinen Schwindel sehen, ohne von dem Wunsch gefoltert zu werden, an diesem Schwindel zu partizipieren. Bitte, er sei nun einmal der Sohn eines Patent-

anwalts. Also die deutschen Bauern, sagte Hel Buch in einem Ton, der seine Künstlichkeit eher betonte als verbarg, ließen sich ganz schön aushalten. Auf ihren Reisen im Orient hätten sie und ihr Mann wieder und wieder gesehen, daß es eine Landwirtschaft gebe, die jahrelang ohne Wasser auskomme, weil die Bauern sich eben auf dürrebeständige Produkte einstellen würden. Einem türkischen Bauern falle es doch nicht ein, Dürreprämien erschwindeln zu wollen.
Helmut fragte, ob es nicht doch ein bißchen viel verlangt sei von den deutschen Bauern, daß sie sich auf dürrebeständige Produkte umstellen sollten, wenn eine Dürre nur alle zehn oder zwanzig Jahre vorkomme. Er hoffte, der Satz, den er leider nicht hatte zurückhalten können, sei ihm wenigstens im Ton freundlich gelungen. Er ärgerte sich einfach, weil niemand den Wald lobte. Das war nun wirklich ein Musterwald. Und in diesem vor Nässe strahlenden Wald giftete dieser Klaus Buch über Dürreprämien, von denen er, wie er zugab, an diesem Morgen zum ersten Mal in der Zeitung gelesen hatte. Und sie vergißt den Wald und versucht sofort, der offensichtlich schwachen Position ihres Mannes zu Hilfe zu kommen. Und er selber ist immer noch so naiv und kritisiert die, anstatt

dem Blödsinn, den sie reden, begeistert zuzustimmen. Nur durch Zustimmung kommst du weg. Theoretisch ist dir das klar. Mein Gott, wie schön wäre es jetzt, mit Sabine allein. Sie sprachen selten, wenn sie wanderten. Höchstens daß Sabine einmal sagte, was sowieso beide sahen. Sie sagte *Eine Bank,* wenn sie vor einer Bank standen. Und wenn er gerade dachte, ob sich das Wetter hält, sagte sie: Ich glaube nicht, daß es zum Regnen kommt. Und es war dann völlig egal, ob es zum Regnen kam oder nicht, weil es auch völlig egal war, was einer sagte oder gesagt hatte oder je sagen würde. Meistens hob er dann seine Stimme an und sagte: Ach du. Einziger Mensch. Sabine.

Sie kamen durch Unterhomberg. Eine Herde junger Schweine rannte über ihr Abgeweidetes her. Otto wütete. Sie fütterten die zierlichen Schweine mit Gras, das sie außerhalb des Zauns abrissen. Helmut hatte angefangen mit dieser Fütterung. Die Schweine drängten einander gegen die geladene Umzäunung, weil die Wanderer nicht genug Gras rupfen und das Gras nicht weit genug über den Zaun hineinwerfen konnten. Dabei kriegten immer die vordersten die elektrische Ladung auf die rosigen Wülste ihrer kleinen Mäuler. Die rosigen Wülste erinnerten Helmut an Helenes Brustspitzen.

Sie waren gerade aus der Ortschaft draußen, da hörten sie hinter sich Schreie, Rufe, hallende Hufschläge. Sie rannten sofort zur Seite. Durch den Ort kam ein Pferd. In wilder Flucht. Die Häuser wirkten klein gegen das Pferd. Vielleicht weil es so große Sätze machte. Mit einem verkrampften, eigensinnig zur Seite gerichteten Kopf donnerte es zwischen den Häusern heraus. Die Vorderbeine gingen so gleichzeitig hoch und nieder, daß sie wirkten wie gefesselt. Schon hatte sich ein Mann dem Pferd in den Weg stellen wollen, aber da das Pferd sich seinetwegen nicht mäßigte, hatte er im letzten Augenblick einen Sprung zur Seite machen müssen. Plötzlich stand das Pferd. Etwa in der Mitte zwischen ihnen und dem Ort. Zwei Männer, die ihm nachgerannt waren, holten es ein. Der, dem es wahrscheinlich gehörte, überholte es zuerst, redete ihm gut zu, trat von vorn auf es zu und wollte es am Halfter nehmen. Aber in diesem Augenblick, als seine Hand sich dem Gesicht des Pferdes näherte, ging es vorn hoch und raste wieder los. Es raste an den Wanderern im vollen Karacho und mit krachenden Fürzen vorbei. Helmut hatte Mühe, Otto zurückzuhalten. Wahrscheinlich wurde das Pferd durch sein Gekläff noch verrückter. Es war ein schöner, auch auf dem freien Weg immer noch riesiger

Fuchs mit einer Blesse im Gesicht. Klaus schrie Otto an: Halt's Maul, Köter! Warf Hel seine Jacke zu und rannte dem Pferd nach. Hel rief halblaut: Nicht, Klaus . . . Klaus!
Als das Pferd weit draußen wieder zum Stehen kam und am Wiesenrand graste, minderte Klaus sein Tempo. Je näher er dem Pferd kam, desto langsamer ging er. Zuletzt bog er weit aus und näherte sich dem Pferd genau von der Seite. Ganz zuletzt sah man ihn nach der Mähne greifen und schon saß er droben. Das Pferd rannte wieder los. Aber Klaus saß. Klein und eng. Irgendwie anliegend. Weil der Weg zwischen Bäume einbog und abwärts ging, sah man die beiden nicht mehr. Die vom Dorf waren inzwischen bei Helmut und den Frauen angekommen. Einer sagte, das hätte der Bub nicht machen dürfen. Jetzt werde der Braune erst recht nicht nachgeben. Er werde rennen, bis er müde sei. Zum Stehen könne der Bub ihn nicht bringen. Wahrscheinlich werde der Braune den Buben irgendwo abstreifen.
Der Bauer hielt Klaus, den er nur aus der Ferne gesehen hatte, offenbar für Helmuts und Sabines Sohn.
Hel hatte sich, als Klaus auf das Pferd gesprungen war, weggedreht. So stand sie noch. Sabine ging zu ihr hin. Schon bog aus der Kurve unter

den Bäumen Klaus mit dem Braunen hervor. Und als er heran war, stand der Braune. Beide schwitzten. Hel rannte hin. Alle rannten hin. Nur Helmut nicht. Otto wütete wieder, also mußte er ihn möglichst weit abseits halten. Klaus übergab das Pferd. Der Bauer sagte: Das hätte letz gehen können. Klaus lachte und sagte: Aber nein. Das ist doch ein Braver. Der ist sicher nur wegen einer Bremse durchgegangen. Der Bauer schüttelte den Kopf, als sei er mit Klaus' Eingreifen immer noch nicht einverstanden. Dann grüßte man einander und alle gingen ihres Weges. Als sie wieder unter sich waren und alle Klaus ihre Bewunderung ausdrückten, sagte der, und legte dabei Hel den Arm um die Schulter: Siehst du, wenn ich den in Meran nicht gepackt hätte, hätte ich vor dem hier Angst gehabt. Das in Meran, erklärte er Helmut und Sabine, war nur ein Haflinger. Und Hel wollte mich zurückhalten. Also, wenn ich mich in etwas hineindenken kann, dann ist es ein fliehendes Pferd. Der Bauer hier hat den Fehler gemacht, von vorne auf das Pferd zuzugehen und auf es einzureden. Einem fliehenden Pferd kannst du dich nicht in den Weg stellen. Es muß das Gefühl haben, sein Weg bleibt frei. Und: ein fliehendes Pferd läßt nicht mit sich reden. Klaus machte große schöne Bewegungen und

redete in festen Sätzen. Hel schien jetzt kleiner zu sein als er. Helmut stimmte Klaus überschwenglich zu. Das stimmt, rief er, und wie das stimmt. Sabine sagte: Woher weißt denn du das? Ach, sagte er, du hast wohl völlig vergessen, daß ich ein alter Ritter bin, was.
Es fing schon wieder an zu regnen. Da Helmut keinen schützenden Wald mehr versprechen konnte, rannte Klaus Buch, wieder mit nacktem Oberkörper, los, um das Auto zu holen.
Helmut ging zwischen Hel und Sabine. Hel und Helmut, diese Namen kamen ihm plötzlich vor wie zwei Werkstücke, die dafür gemacht sind, zusammengekuppelt zu werden. Er würde sie Helene nennen, wenn er etwas zu sagen hätte. Sie gingen durch eine Gruppe Arbeiter durch, die trotz des Regens ihre Teerarbeiten nicht unterbrachen. Helmut hoffte einen Augenblick lang, daß der so gelegte Asphalt nur aussehen werde wie ein richtiger und sich in Kürze wieder auflösen werde in Schotter und Geröll. Er wünschte eben, daß die auch nur Schein produzierten.
Als man geborgen im Auto saß, sagte Sabine: Klaus, du hast uns gerettet. Klaus sagte zu Hel – diesmal fröhlich, übermütig, parodistisch –: Du magst mich nicht mehr, gell. Sie küßte ihn und sagte auch, er habe alle, alle gerettet. Hel-

mut stimmte zu und lobte Klaus Buch noch lauter als die Frauen ihn gelobt hatten. Klaus hatte jetzt keine Angst mehr vor Ottos Schnauze. Das verstand Helmut.
Helmut konnte den anderen nicht mehr zuhören. Er war dabei, den Boden unter den Füßen zu verlieren. Er sah sich wieder einmal gezwungen, seine Lage in einem unangenehmen Bild zu sehen. Was man sieht, gibt so gut wie nichts wieder von dem, was ist, dachte er. Er sah sich auf einem Felsen liegen, der von oben her heftig von Wasser überflutet wird. Er, Helmut, kann sich fast nirgends mehr festhalten. Aber der Wasserschwall läßt einfach nicht nach. Es ist keine Frage mehr, wie das ausgehen wird. Trotzdem krallt und krallt er sich fest. Und verlängert so, da der Ausgang gewiß ist, nur die Qual des Kampfes. Er sieht sich deutlich durch den offenen Mund schnaufen, und Blicke nach oben richten, wie im 19. Jahrhundert. Sobald diese Vorstellung verbraucht war, sah er sich schwitzen und frieren. Er wußte nicht, wie das zuging, aber er fror und zugleich schwitzte er. Er hätte nicht sagen können, ob er tatsächlich schwitzte und fror oder ob er sich das nur bis zur Empfindbarkeit vorstellte.
Als Sabine und Helmut ausstiegen, reichte ihnen Klaus noch zwei Taschenbücher nach. Eins

von ihm und das von Hel. Helmut sagte, nun könne es Krotten hageln von ihm aus, er sei so gespannt auf diese Bücher, daß er sich die nächsten Tage nicht aus der Wohnung herausbewegen werde. So wirst du uns nicht los, sagte Klaus Buch. Zuerst sehe man sich 23 Jahre nicht, dann wollte Helmut sich gleich wieder verdrücken. Soweit kommt's, sagte Klaus Buch. Um halb neun heute abend werden Halms abgeholt. Und heute abend nimmt er die Regie in die Hand. Keine Widerrede.

Sie fuhren ab. Helmut rannte hinein, warf sich aufs Sofa und starrte zur Decke. Am liebsten hätte er geheult. Sabine tat, als verstehe sie ihn nicht. Er nahm ihr das nicht ab. Er war froh, daß Otto ganz wild darauf war, von ihm gekrault und gedrückt zu werden.

Sabine wollte etwas sagen, das sah er, deshalb sprang er auf und sagte: Ich werde mich jetzt eine Stunde lang duschen.

Als er aus der Dusche kam, zeigte Sabine das Buch von Klaus und sagte, Klaus schreibe sich ja mit Cäsar.

Ist ja toll, sagte er.

7.

Kurz vor halb neun standen Helmut und Sabine unter dem Vordach und betrachteten Frau Zürns wild gemischten Blumen-Garten mit einem Interesse, das Frau Zürn, sollte sie plötzlich auftauchen, befriedigen mußte. Frau Zürn hatte einmal zu Helmut gesagt, sie geniere sich dafür, daß die Ferienwohnung Gitter vor den Fenstern habe, deshalb habe sie Phloxe, Fingerhüte, Königskerzen und vor allem die hohen Malven gesetzt. Helmut hatte gesagt, wenn man die Gitterstäbe einmal gewöhnt sei, sähe man sie nicht mehr, die Blumenpracht dagegen sei täglich ein Wunder.

Daß er die schmucklos geraden Gitterstäbe vor den Fenstern jeden Tag mit innigem Wohlgefallen wahrnahm, verschwieg er. Jedes Jahr vermißte er, wenn sie in ihr Sillenbucher Häuschen zurückkamen, die Gitter. Öd und leer kamen ihm gitterlose Fenster dann vor.

Sobald der Wagen mit der Starnberger Nummer herfuhr, eilten Helmut und Sabine zum Gartentürchen. Helmut wollte verhindern, daß Klaus überhaupt Zürn'schen Boden betrete.

Alles, was der neulich in Blau angehabt hatte, trug er jetzt in einem verblichenen Rosa.

Nur Gürtel und Sandalen schienen dieselben zu sein.
Helene war nackt und hatte etwas Schwarzes darübergeworfen. Sie hatten in ihrem Hotel einen Tisch bestellt. Man saß direkt über dem Wasser. Aber hinter Glas. An allen Tischen saßen Grüppchen wie sie. Die Bedienungen bewegten sich. Welch eine wunderbare Leere, dachte Helmut. Jetzt trinken und versinken. Aber Klaus Buch wollte endlich wissen, ob sein Verdacht, daß aus seinem romantisch-bizarren Ha-Ha ein fanatischer Arbeitsmensch geworden sei, begründet sei. Helmut nickte. Komm, komm, sagte Klaus Buch, das glaub ich dir nicht. Sabine, sagte Helmut, wie siehst du das? Sabine sagte, daß Helmut ununterbrochen arbeite. Allerdings auf eine nicht jedem gleich begreifliche Weise. Er lese eben immerzu. Es sehe aus wie Studieren. Sie halte es aber eher für Leben. Das heißt, es komme nichts heraus dabei. Vielleicht sei das sogar nicht einmal beabsichtigt. Er verändere sich durch sein Lesen, das schon. Er komme von keiner gelesenen Seite als der zurück, der die Seite aufschlug. Helmut pfiff leise. Beifällig. Auf jeden Fall komme er andauernd weiter, das erlebe sie. Sie auf jeden Fall komme da schon lang nicht mehr mit. Bei dem Tempo, das Helmut allmählich vorgelegt

habe. Ja, er könne ruhig noch einmal pfeifen. Er warf ein, er würde ihre Arie auch lieber mit 64 Geigen begleiten, aber er habe nur noch zwei dürre Lippen, für die selbst Klaus eine Dürreprämie nicht verweigern würde. Sie empfinde, sagte Sabine unbeirrt, sein Tempo schon manchmal als rücksichtslos. Es mache den Eindruck, als sei es ihm schon egal, ob sie noch mitkomme oder nicht. Helmut sagte, als meine er es nicht: Lügt sie nicht wunderbar! Und das, obwohl sie weiß, daß sie lügt.
Klaus Buch sagte: Sie schwärmt. Hel, schwärm doch auch einmal so von mir.
Tust du ja selber, sagte Helene.
Klaus Buch sagte zuerst, Hel möge ihn eben nicht mehr, dann sagte er, er sei so glücklich zu sehen, daß Helmut kein Kleinbürger geworden sei.
Helmut dachte: Wenn ich überhaupt etwas bin, dann ein Kleinbürger. Und wenn ich überhaupt auf etwas stolz bin, dann darauf. Er fand, daß er als Kleinbürger in diesem Augenblick am besten lächle und Klaus Buch zuproste, keinesfalls aber den Versuch mache, mit ihm über eine solche Bezeichnung zu diskutieren. Es war angenehm gewesen, Sabine so völlig unzutreffend über sein Lesen und Leben sprechen zu hören. Wenn man sich vorstellte, sie würde, was sie

gesagt hatte, sagen, wenn er mit ihr allein war, konnte man nur lachen. Mit ihm allein, und sofort war keine dieser Produktionen mehr möglich. Es waren Präsentationsprodukte. Es drückte sich darin ein Bedürfnis aus, keine Realität. Sie wollte etwas Beeindruckendes über ihren Mann sagen. Vielleicht wollte sie ihm etwas mitteilen.

Es stellte sich heraus, daß Klaus Buch nach Helmuts Verhältnis zur Arbeit gefragt hatte, weil er gern erzählte, wie er und Hel über Arbeit dachten. Sie arbeiteten so wenig als möglich, sagte er. Stimmt's, fragte er. Sie sagte: Ja, zum Glück brauchen wir, um uns wohlzufühlen, keine Arbeit. Das klang wie gelernt. Klaus Buch sagte, das Leben sei zu kurz, als daß man es mit Arbeit vergeuden dürfe. Sie sagte, ihn jetzt offen und vielleicht schon kritisch zitierend – oder hätte es Helmut gern so gehabt? –: Nur Leute, die erotisch nicht völlig da sind, brauchen Arbeit. Klaus löste sie jetzt endgültig ab: Arbeit sei ein Ersatz für Erotik. Sie sei auch die Vernichtung des Erotischen. Das Erotische, ernst genommen, sei seinerseits die Vernichtung des Arbeitswillens. Wer leben wolle, dürfe sich nicht an die Arbeit verlieren. Die Arbeit mache unfähig zur Liebe. Stimmt's? Oder magst du mich nicht mehr?

Sie küßte ihn und sagte: Er redet ein bißchen viel darüber. Das ist aber sein einziger Fehler.
Heißt das, sonst bin ich ganz gut, sagte er unersättlich.
Sie lachte und sagte: Es geht.
Das gibst du zu, sagte er hartnäckig.
Ja, das gebe ich zu, sagte sie und lachte und küßte.
Du bist achtzehn Jahre jünger als ich. Hast du je zu klagen gehabt, fragte er unerbittlich.
Sie wollte ihm den Mund zuhalten.
Ich meine das ernst, sagte er.
Ich auch, sagte sie.
Du magst mich nicht mehr, gell, sagte er.
Er muß immer darüber reden, sagte sie, ohne ihren Mann geküßt zu haben, versteht ihr das? Diesen Formulierzwang find ich nicht so gut. Aber das ist sicher bloß Neid, weil ich's nicht so gut kann.
Du magst mich nicht mehr, gell, sagte er.
Jetzt küßte sie ihn. Dann tranken beide von ihrem Mineralwasser. Beide schienen zum ersten Mal unter Helmuts Zigarren- und Sabines Zigarettenrauch zu leiden. Wie am Abend zuvor, fiel es Helmut jetzt wieder schwer, Wein und Rauch zu genießen. Er trank rasch. Er wollte möglichst rasch betrunken sein. Sollte er sich eingestehen, daß er diese Hel liebe? Was

hätte er davon? Und war es denn so? War sie ihm nicht völlig gleichgültig?
Klaus Buch fing plötzlich an, von dem 90. Geburtstag seines Vaters zu erzählen, den sie gerade gefeiert hatten. Sie hatten ihn in seinem vornehmen Altersheim in Degerloch abgeholt. Er sei erstaunlich kräftig und erstaunlich schwach gewesen. Aber voll da. Habe sich für alles interessiert. Name des Bundeskanzlers, des Bundespräsidenten, sogar des Präsidenten des Bundestags, alles gewußt ... Helmut haßte Berichte über Greise. Macht zwar in die Hose, aber das Große Einmaleins bringt er! Wahrscheinlich wollte Klaus Buch nur demonstrieren, daß er noch einmal 45 Jahre vor sich habe, die zählten. Helene sagte: Meine Mutter ist einundsiebzig und genießt das Leben noch ohne Abstrich. Abstrich, dachte Helmut und schauderte ein bißchen. Jedes Jahr Reisen nach Afrika, Persien, sagte Helene. Nirgends hat sie sich, hat sie neulich geschrieben, so wohl gefühlt wie in Bali. Heißt es nicht, dachte Helmut, *auf* Bali? Wo sind eure Eltern?
Helmut senkte den Daumen steil nach unten. Klaus sagte: Zeig doch mal die Fotos. Helene sagte: Das interessiert doch Halms nicht. Zeig die Fotos, Mensch. Etwas Interessanteres als Fotos von alten Leuten gibt es nicht.

Helmut sagte, er möchte nicht älter als siebzig werden.
Er fand diesen Satz genau so verlogen wie wahr. Also unsinnig. Aber war nicht alles, was er hier sagen konnte, unsinnig? Nur was Hel und Klaus sagten, hatte wirklich einen Sinn. Sie wollten alt werden. Sie hatten Aussicht, alt zu werden. Sie freuten sich darauf, alt werden zu können. Sie taten alles dazu, alt zu werden. Sie hatten die Kraft dazu. Sie dachten so, daß sie es gesund ertragen würden, lange zu leben. Und wer nicht so denkt, der redet Unsinn. Das einzig Sinnvolle, das es überhaupt gibt, ist, lange zu leben. Wer länger lebt als ein anderer, ist erfolgreicher als der. Je länger du lebst als ein anderer, desto größer der Sieg über den. Helmut wußte nicht, ob die Buchs genau das zu ihm sagen wollten, aber so verstand er ihre einander überbietenden Schilderungen siebzigster und neunzigster Geburtstage. Fahrten hatten sie mit ihren Jubilaren gemacht. Blut- und Leberwurst gegessen auf der Alb. Ins Kino gegangen mit denen. Gelacht hatten die. Da schau. Und sie auch. Schau. Die morschen Nasen in Blumen gesteckt. Da schau. Entzükken daraus gesogen. Schau. Wohlgefühl auf Wohlgefühl war erlebt worden. Das ist das Schönste, was es gibt. Und das Allerschönste

ist, daß es bis zum Tod überhaupt nicht aufhört, schön zu sein.
Helmut sagte, er danke den Buchs für diesen Abend mehr als für alles andere. So gestärkt habe ihn, soweit er sich erinnern könne, noch niemand. So aufgerichtet. So beschenkt.
Er merkte, daß ihm Tränen aus den Augen traten. Er tat so, als sei es ihm peinlich. Er trat rasch hinaus. Tatsächlich war ihm zum Heulen zumute.
Er war betrunken.
Morgen mache Hel ihre Dorftour, also könnten Halms mit Klaus eine Segelpartie machen. Hel würde Sabine so gern mitnehmen auf ihre Dorftour, aber aus Erfahrung wisse sie, daß die Großmütterchen bei zwei Besuchern doppelt so unzugänglich seien als bei einem. Ach, haben sie Halms noch gar nichts erzählt von Hels neuem Buch? Klaus erklärt: Es wird heißen *Großmutters Mund.* Hel fährt in die Dörfer im Hinterland, erfragt beim Bürgermeister die fünf ältesten Frauen, von denen läßt sie sich die drei Gesprächigsten nennen, zu denen fährt sie hin und nimmt auf Tonband, was die noch an gutem Rat im Kopfe haben. Sie hat schon siebenunddreißig Bänder voller Großmütter. Hel sagt, sie hoffe nur, dieses Buch, das wieder Klausens Idee sei, werde besser gehen als ihre

Kräuter-Fibel. Ich weiß nicht, was du willst, Schatz, rief Klaus Buch, deine Fibel ist ein Dauerbrenner, die wird uns nähren auf den Bahamas bis ins neunzigste Jahr. Also, morgen ablegen 14 Uhr 30. Sabine entschuldigte sich. Sie habe sich für morgen beim Friseur angemeldet in Meersburg. Zu dem gehe sie jedes Jahr am gleichen Tag. Das sei ein wahrhaft unverschiebbarer Termin. Dann also Helmut allein. Klaus Buch freut sich. Das wird eine Erinnerungsorgie reifer Männer. Ciau.
Helmut und Sabine, schwer vom Wein, trotteten heimzu. Helmut sagte, du bist fein heraus. Also aktiv sind die, sagte Sabine. Zum Glück können sie uns mehr als den Urlaub nicht verderben, sagte Helmut. Starnberg ist zu weit. Sabine hängte sich bei Helmut ein und sagte: Sei nicht so negativ. Ich bin's doch gern, sagte Helmut. Kommt heute nacht wieder ein Gewitter, Herr Negativ, fragte sie anzüglich. Frag Klaus Buch, Frau Positiv, sagte er. Böser, sagte sie, ich frag dich, ich frag überhaupt nur noch dich, ich red' nur noch mit dir, ich verlerne alle anderen Sprachen der Welt außer der deinen, so! Ich hoffte, das sei alles schon so, seufzte er. Er sei, sagte er, also doch schon weiter als sie, da er schon lang keinen Menschen mehr verstehe außer ihr. Er legte seinen Arm um Sabine,

quetschte sie, bis sie ein bißchen quiekste. Da fiel ihm Helene Buch ein. Dagegen konnte er momentan nichts tun. Ich bin betrunken, sagte er. Wir, sagte sie, sind. Ich, sagte er. Wir, sagte sie. Geht mich nichts an, sagte er und rannte ihr davon. Aber sie hatte ihn rasch eingeholt und ließ ihn, bis zur Wohnung, nicht mehr aus ihrem Griff.

Er beschwerte sich noch einmal darüber, daß sie sich morgen vorm Segeln drücke. Er verstehe das nicht. Sie spreche von diesem Klaus Buch wie die Blume vom Wind, und dann drücke sie sich. Morgen sei doch gar nicht ihr Friseurtag. Sie habe Angst, sich in Klaus, den Helmut, wortbrüchig, wieder *dieser* genannt habe, zu verlieben, sagte sie und kicherte unschön. Helmut überlegte sich, ob er sie vergewaltigen und dann ins Wasser werfen und nicht mehr ans Land lassen sollte. Ich verzeihe dir diesen Ausrutscher und den nächsten, sagte er, erst den übernächsten nehm ich dir übel, der nächste danach ist dann tödlich, absolut tödlich. Mich friert's, wenn du so redest, sagte sie. Dann ist es gut, sagte er, mir wird warm, wenn's dich friert, wenn ich rede. Dann gibt's doch ein Gewitter, sagte sie. Oh du Naturalistin, sagte er, wir bewegen uns am Rand der Katastrophe und du redest wie der Wettermann. Wir sind beide ein bißchen verführt momentan, sagte er, laß uns aufpassen. Wir sind doch schon weiter als die, sagte er. Du vielleicht, sagte sie. Bine, sagte er, ich weiß, du nicht. Ich auch nicht. Bine. Wehr dich doch gegen diese Verführung durch die Familie Buch, Mensch. Auch wenn das, was die tun, das Richtige ist. Laß uns beim Falschen bleiben. Warum, fragte sie. Ich weiß es nicht, sagte er. Aber, sagte er, es sei noch nie so notwendig gewesen, beim Falschen zu bleiben wie jetzt. Das Falsche ist das Richtige. Heute abend, Bine. Heute nacht. Wenn sie einander heute nahekämen, dann dächte sie an Klaus und er an Helene, und das sei für ihn eine Vorstellung, die ihn abrüste. Idiot, sagte sie. Ja, sagte er. Alleskaputtmacher, sagte sie. Ja, sagte er. Blöder Hund, sagte sie. Ja, sagte er. Arschloch, sagte sie. Nicht provozieren, sagte er und beugte sich über sie, küßte sie vorsichtig und sagte: Ach du. Einziger Mensch. Sabine.

Erst als sie eingeschlafen war, atmete er auf. Es war zwar nicht das Gespräch geworden, das er Sabine schuldig war, aber sie hatten einander an Stellen berührt, an denen sie sich vorher noch nicht berührt hatten.

Wie schön sind, dachte er, gewendete Kleider.

8.

Klaus Buch stieß ihm die Tür auf, Helmut stieg ein, Klaus ließ zur Begrüßung seine Hand ein bißchen zu lange auf Helmuts Schulter liegen. Helmut bedauerte, daß er das anders empfand als dieser Klaus Buch. Es wäre schön, wenn man einen hätte, dessen Hand man gern ein bißchen zu lang auf der Schulter hat. Er hätte sich wegen Unfähigkeit zur Erwiderung von Gefühlen entschuldigen müssen. Klaus Buch war heute ganz in Weiß. Sein Augenblau war noch nie so blau gewesen. Seine beweglichen Lippen wälzten und wölbten sich, auch wenn er nicht sprach. Er war erregt. Nichts gegen die Frauen, aber daß der Zufall ihnen einen Tag allein beschert, ist einfach fein, oder nicht. Mensch, Helmut, wir zwei, das find ich echt brutal. Er drückte auf's Gas, mußte gleich wieder bremsen, man war schon da. Klaus Buch holte im Hotel eine Tasche. Diesmal hatte er auch Segeltuchschuhe für Helmut mitgebracht. Helmut bezweifelte, daß die paßten. Aber Klaus sagte, sie hätten doch immer schon die gleiche Schuhnummer gehabt. Helmut mußte helfen, die Segel zu setzen. Klaus Buch hörte nicht auf, ihm im fröhlichsten Ton alle Anweisungen zwei- bis viermal zuzurufen. Das hörte sich an, als sei Helmut ein Idiot. Trotzdem mußte Klaus Buch des öfteren hertanzen und Helmut auch noch die Hand führen.

Anfangs gab es noch ausgedehnte Felder mäßigen Winds. Dann war der ganze See glatt wie flüssiges Blei. Alles, was sichtbar war, hatte nur noch eine Farbe. Sie waren hinausgekommen aus dem Überlinger See und lagen jetzt draußen, Helmut schätzte, zwischen Hagnau und Kesswil. Klaus Buch fluchte auf den Bodensee. Ein impotenter Sack sei das, der könne nur einmal am Tag, und dann auch nur, daß es kaum noch zu erspüren sei. Jetzt schaue sich das einer an: eine Landschaft aus schwülen Lappen, schau, die Häuser da und dort, die Hügel, schau, der Himmel, alles hängt, hängt, hängt, das wird ein Nachmittag im Jenseits, mein Lieber. Das ist schon ein Scheißsee. Also wenn es nicht wegen dieser Recherchen wäre für Hels Buch, er wäre nie hierher zum Segeln. Das sei vielleicht was für Opas, in deren Wipfeln Ruh ist. Jetzt schau dich doch einmal um, diese Gegend, eingeschlafen für immer. Ich schwör' es dir. Hier geht nichts mehr. Wir sind im Totenreich. Farbloses farblos im Farblosen. Lethe, Helmut. Tut mir leid. Ich hätte mit dir gern einen Scharfen abgesegelt. Ist nicht mehr

drin hier. Jetzt müssen wir halt quatschen. Laß uns quatschen, komm.
Er sagte das märchenhaft wild und machte dabei mit seinen unbefestigten Lippen und der ungebärdigen Zunge unflätige, das Sprechen parodierende Bewegungen. Helmut mußte lachen. Das brachte Klaus Buch in Stimmung.
Mein Gott, wie sind sie in der Ägäis gesegelt. Anbinden mußten sie einander, sonst wären sie über Bord gespült worden. Zwölf Stunden lang keine Sekunde von der Pinne gewichen. Einmal blies der Boreas so, daß sie drei Tage lang nicht aus dem Hafen konnten. Einmal sind sie von Thassos nach Rhodos mehr unter den Wellen durch als über sie hin. Er freut sich nur noch auf die Bahamas mit ihrem beständigen Passat. Ob Helmut sich nicht vorstellen könne, mitzukommen. Er, Klaus Buch, habe, ohne sich im geringsten in Helmuts Angelegenheiten einmischen zu wollen, das Gefühl, als könne es Helmut gut tun, wenn er hier einfach mal klar Schiff machen, die Brücken abbrechen und in eine neue Welt aufbrechen würde. Das Leben bedarf des Reizes, sagte Klaus Buch, sonst erlischt es. Bei Lebzeiten. Verstehst du, das ist anders als beim Ethischen oder Moralischen, das existiert einfach so, das Geistige, das kann vielleicht seine Spannung aus sich selbst erzeu-

gen, ich weiß das nicht so genau, da bist du der Experte. Ich dagegen weiß, daß das Lebendige den Stoß braucht. Das Lebendige braucht überhaupt das ganz Neue. Dem Lebendigen kann nichts neu genug sein. Je neuer, desto lebendiger. Die total unvorhersehbare Reaktion, verstehst du, das ist das Leben. Also, paß einmal auf, Helmut, wie oft bumst du deine Frau?
Helmut schaute offenbar so, daß Klaus Buch nicht auf der Antwort bestand. Oder anders gefragt, sagte er, bist du ganz sicher, daß du deine Frau noch liebst? Bitte, versteh mich richtig, Sabine ist eine echt brutale Frau, ich beneide dich um Sabine, aber auch die brutalste Frau kann in unserem Alter eine Gefahr werden für einen Mann. Wenn sie es nicht mehr bringt. Auch Hel könnte eine Gefahr werden für mich. Wenn sie es nicht mehr bringt. Aber sie bringt es noch. Und wie. Hel ist für mich ein challenge. Sie ist zuviel für mich. Ich schaffe sie nicht. Ich kämpfe um sie. Tag und Nacht. Das hält fit, klar.
Wenn du vier Wochen im Bett liegst, kannst du keinen Kilometer mehr gehen, so völlig verschwunden sind deine Muskeln. So ist es mit AL-LEM, Helmut. Ich bin wirklich fasziniert vom Leben, Helmut, das kannst du mir glauben. Wenn mir ein Regentropfen auf der Haut

zerplatzt, könnte ich schreien vor Begeisterung. Wenn ich in einen Baum schaue, könnte ich aufschreien vor Liebe zum Chlorophyll. Aber ich habe Angst, dumm zu werden, Helmut. Ich bin in Gefahr, ich weiß das. Ich möchte brillant bleiben, verstehst du. Glänzend. Großartig. Und fein. Durchdringend fein. Unzerreißbare Seide möchte ich sein. Wildseide, versteht sich. Ich bin ein Anbeter meiner selbst. Hel betet mich in gewisser Weise auch an. Weil sie mich für intelligenter hält als ich bin, verstehst du. Ich mache ihr was vor. Ich halte sie kleiner als sie ist. Ich verführe sie zu Tätigkeiten, denen sie nicht gewachsen ist. Für den Fall, daß ich sie nicht mehr schaffe, verstehst du. Was ich bräuchte, ist ein Mensch wie du, Helmut. Ehrlich. Als ich dich da sitzen sah an der Promenade, ecco, das war Erscheinung. Mein alter Ha-Ha, die große Problemschraube, *Zarathustra* in der Badehose gelesen, Helmut, wenn du mitkommst auf die Bahamas, sind wir beide gerettet. Da kannst du alles in der Badehose erledigen. Was gibst du auf hier? An welcher Schule bist du eigentlich?
Am Ebe-Lu, sagte Helmut so unstolz als möglich.
Oh, sagte Klaus Buch, gratuliere, naja, du warst eben immer Spitze, klar. Trotzdem wage ich es,

stell dir vor, ich, die alte Küchenschabe, nichts gewesen, nichts geworden, ich wage es, dir, dem Doktor Oberstudienrat am hochehrwürdigen Ebe-Lu, weitgehende Vorschläge zu machen. Ich behaupte, es sei nötig. Du mußt gerettet werden. Du brauchst mich, Helmut, das spür' ich. Deshalb meine Frage, wie oft bumst du Sabine. Ich will dich doch nicht beschämen, Mensch. Ich will nicht den tollen body spielen. Mensch, Helmut, meine erste Frau habe ich am Schluß noch einmal pro Woche gebumst. Sowas von herunter war ich. Waren wir. Also bitte. Mit mir kannst du reden. Wenn du willst. Ich finde einfach, wir sollten, bevor wir fünfzig sind, noch einmal vom Stapel laufen. Und ohne dich bin ich in Gefahr zu verblöden. Das ist mir klar. Du bist echt ein challenge für mich. Du und Hel, dann flutscht's. Alles klar.
Helmut nickte, so oft er konnte. Klaus Buch mußte den Eindruck haben, Helmut überlege sich diese Vorschläge ernsthaft. Das spornte ihn zu immer neuen Angeboten an. Er könne, da Helmut sich bis jetzt noch nicht gesprächsbereit gezeigt habe, nur immer weiter versuchen, durch Selbstentblößung Helmut so zu provozieren, daß er seine ihn selbst bedrohende Zurückhaltung aufgebe, damit sie endlich ihre gemeinsame Rettung gemeinsam betreiben könn-

ten. Helmut sei sich, das fühle er, Klaus Buch, deutlich, der Gefahr der Stagnation schärfstens bewußt. Vielleicht habe Helmut sogar schon resigniert. Er, Klaus Buch, glaube das nicht. Er glaube eher, Helmut spiele sich Resignation zur Zeit vor, werde aber, sobald er sehe, daß es ernst werde, schreiend vor der Resignation zu fliehen versuchen. Dann sei es wirklich zu spät. Oder es gelinge nur noch eine Kurzschlußhandlung. Jetzt aber könne man den zweiten Stapellauf noch gemeinsam planen. Und zwar so, daß er gelinge. Ohne Wunden. Das sei das Entscheidende. Er könne sagen, daß die Trennung von seiner ersten Frau für beide ohne ernsthafte Wunde über die Bühne gegangen sei. Weil er eben nicht gewartet habe, bis er erschrocken sei. Also von ihm aus bestehe ein totales Angebot. Er ahne, daß Helmut schon mit ersten Schäden der reizlosen Routine der Endgültigkeit zu tun haben könnte. Könnte! sage er. Und sein Angebot sei gar nicht barmherziger Art, der pure Egoismus sei es. Je mehr Helmut von ihm Gebrauch mache, desto mehr traue er sich, von Helmut Gebrauch zu machen. Und sie seien nun einmal so alte Freunde, daß sie einander rücksichtslos hilfreich sein dürften. Es dürfe zwischen ihnen keine Scham geben, die irgend etwas verhindere. Helmut könne zu Klaus Buch kommen, wenn er wissen wolle, wie er sich am glimpflichsten von Sabine trennen könne – wenn Helmut das überhaupt wolle, bitte, er nenne das nur als Beispiel, weil jeder noch lebendige Mann sich von seiner Frau trennen will, nur Tote sind treu –; Helmut könne aber genau so gut zu ihm kommen, wenn er sich lediglich hinsichtlich der Länge seines Glieds beruhigen wolle; auch das sage er nur, weil jeder noch lebendige Mann an Möglichkeiten zur Überprüfung seiner eigenen Zurechnungsfähigkeit interessiert sei. Wenn ein einziges Mal zwei Männer zusammenhülfen, würden sie einen ungeheuren Sieg erringen. Wenn jeder allein bleibe, müsse sich eben jeder auf seine eigene miese Art durchschwindeln, Beute machen, Beute in Sicherheit bringen, Beute verzehren, wieder Beute machen und so fort. Mensch, Helmut, laß es uns groß spielen. Nicht klein beigeben. Groß bleiben. Größer werden. Der Größte. Wir zwei sind die Größten, ich schwör's dir. Uns will das Leben. Ich hol dich heraus aus deiner Flaute, Junge. Dich richte ich wieder her. Du wirst sehen, in einem Jahr kennst du dich nicht wieder. Du bist kurz vorm Versacken. Ich schau da nicht zu. Dich *turn* ich an, Mensch. Dir mach ich einen Appetit in den Leib, daß du senkrecht in die Luft gehst, wetten? Du kommst zuerst einmal zu uns nach Starnberg. Nur ein paar Tage. Dann läuft das ganz von selber. Das läuft einfach, da bin ich ganz sicher. Mensch, Helmut, in Starnberg, verstehst du, in Starnberg sitze ich morgens oft von vier bis sieben nackt auf der Terrasse und höre den Vögeln zu. Es gibt nichts Akustisches, was dem gleichkommt. Ich habe in meinem Garten ein paar gewaltige Bäume, in denen fangen, schon bevor die Sonne ganz da ist, die Vögel an. Aber nicht zuerst der und dann der. Wie beim Orchester fangen alle, die zusammengehören, auf einmal an. Es gibt zarte Einsätze, es gibt vehemente. Und gleich darauf singt dann eine nicht mehr vorstellbare Zahl von Vögeln. Aber du siehst keinen. Also tönen die Bäume selbst. Du erkennst auch nicht mehr, daß dieser Gesang von einzelnen Vögeln stammt. Der kann genau so gut von einer Riesenorgel sein. Oder von ein paar hundert Orgeln, die auf ihren hellsten Registern spielen. Und es klingt überhaupt nicht wie im Freien, sondern wie in einem Hallraum. Ein Riesenhallraum schwingt da, überschwingt von Vogelstimmen. Es ist, als wäre die ganze Welt nur noch ein Kirchenschiff. Und das Phantastische, der Raum selbst, das Kirchenschiff, stell dir das vor, bleibt nicht an Ort und Stelle, es hebt sich, du hörst es, es hebt sich in die Luft. Aber es entfernt sich kein bißchen. Das ist das Brutalste. Es schwebt. Wirklich. Es schwebt. In der Luft. Der Raum wird nur immer größer. Hallender. Ein Riesenraum aus nichts als Vogelstimmen. Ein Vogeldom, gebildet aus einem schwingenden Vieltöneton. Mein lieber Helmut, da muß ich hinein, aber auf den Spitzen der Zehen, unmerklich wie der erste Sonnenstrahl, und obwohl mir ganz anders zumute ist, obwohl ich lieber brüllen würde, stampfen, hochspringen, mich auf sie hechten, nein, ich schmeichle mich hin zu ihr und zärtle sie wach, aber schon bevor sie ganz wach ist, placier ich die Verführung, daß sie, wenn sie die Augen aufschlägt, wenn die Lippen sich lösen, mich schon will. Capito?

Eine Bö fuhr über das Boot hin und schlug das Segel mit einem knallenden Schlag auf die andere Seite.

Oh, grüß Gott, wir kriegen Besuch, rief Klaus Buch und griff nach den Leinen und nach der Pinne.

Helmut hatte den andauernd von einer verrückt gewordenen Zunge gewölbten und dann wieder durchbrochenen Mund Klaus Buchs nicht lange anschauen können. Er hatte die Hast, mit der Klaus Buch sprach, durchaus begriffen. Er hatte, während der redete, als ginge es um sein

Leben, in aller Ruhe die Seefläche angeschaut, die Himmelsfläche, die konkreter werdenden Ufer. Ganz allmählich waren wieder Farben entstanden. Im Himmel waren Tinten jeden Blaus langsam zusammengeflossen. Im Lauf des Nachmittags hatte alles an Bestimmtheit zugenommen. An einigen Stellen waren in den Tintenflüssen sogar entschiedene silberne Borten entstanden. Nur der Westhimmel bestand noch aus einer endlosen Durchsichtigkeit. Aus reinem Rosa. Helmut fiel das Pure ein. Das Wasser hatte alle diese Farben aufgenommen und sie zu einer dichten Mischung konzentriert. Man sah im Wasser alle Blaus, das Silber, das Rosa; zusammen ergab es ein immer stahlflüssigeres Blau, in dem ein violettes Gold flutete. Und da hinein rissen dann die Gewitterböen ihre schwarzen Narben.
Sturmwarnung, rief Klaus Buch und ließ seine Zunge aus dem Mund brechen und zeigte begeistert in die Schweiz hinüber und zurück ans deutsche Ufer. An vielen Stellen zuckten die gelben Warnlichter. Eine Farbe, die sonst nicht vorkam. Die Böen fuhren von allen Seiten her. Klaus Buch fluchte. Der spinnt wohl, schrie er. Den Wind meine er. Er schaute streitlustig herum, um die anfahrenden Böen rechtzeitig zu sehen. Wir brauchen Fahrt, dann können uns

die Böen nichts mehr machen, rief er. Böen, ohne jeden Wind, sowas habe er auch noch nicht gesehen. Helmut soll die Fockschot bedienen. Wenn Klaus Buch FIER AUF ruft, soll er nachgeben, aber nie ganz loslassen, wenn Klaus Buch DICHT ruft, soll er anziehen. Während er noch sprach, fuhr eine Bö über sie hin, die Klaus mit einem Sprung auf Helmuts Seite beantwortete. Junge, Junge, das war ein Händchen, sagte er. Er erklärte Helmut, was der bei einer Wende tun müsse. Helmut fragte, ob sie jetzt ans deutsche oder ans Schweizer Ufer führen. Vorerst tanzten sie einmal mit diesen völlig verrückten Böen, sagte Klaus Buch. Sobald denen, was wohl auch auf dem Bodensee zu erwarten sei, ein Wind aus einer Richtung folgte, würden sie ihre Segelpartie nachholen. Helmut wies auf die Sturmwarnungen. Er hatte Angst. Diese an vielen Stellen zuckenden grellen Lichter sahen in den dunkel gewordenen Farben unheimlich aus. Klaus Buch wies auf die dunkelste Himmelsstelle. Das sei eine Gewitterfront, die liefere ihnen alles, was sie bräuchten. Helmut sagte, ihm wäre es lieber, sie suchten, so rasch als möglich ans Land zu kommen. Die Schweiz scheine ihm näher zu sein. Warum nicht nach Utwil oder Kesswil, von dort Hel anrufen, vielleicht könne sie mit dem Auto kommen. Und wir an der Straße mit dem Segel unterm Arm, ja? Klaus Buch lachte. Helmut sagte, man könne ja auch am Land abwarten, bis der Sturm vorbei sei. Wahrscheinlich wäre doch das deutsche Ufer leichter zu erreichen, da der Wind ja aus Südwest komme.

Klaus Buch sagte, es sei höchste Zeit, daß Helmut aufhöre, dem Leben auszuweichen. Eine Bö schlug zu, Klaus Buch rief: Fier auf. Aber Helmut ließ zu spät los. Da Klaus Buch das Großsegel rechtzeitig gefiert und mit dem Ruder ausgeglichen hatte, hatten sie die Bö gut überstanden. Aber sofort kam die nächste. Helmut rief: Klaus, wir müssen hinein.

Jetzt war der See schon eine hellgrüne und weiß fauchende Fläche. Klaus Buch schrie vor Vergnügen. Helmut dachte, vielleicht ist er wirklich verrückt. Klaus rief Helmut zu, der solle sich auf den Bootskörper setzen. Helmut setzte sich hinauf. Sie schossen jetzt in rauschender Fahrt in Richtung Schweiz. Außer ihnen war kein Boot mehr auf dem See. In Ufernähe sah man segellose Boote wahrscheinlich mit Motorkraft auf die Häfen zustreben.

Klaus Buch benahm sich immer mehr wie ein Rodeoreiter. Er unterhielt sich mit dem Wind. Taufte jede Bö, die er herankommen sah, auf einen neuen Namen. Das ist Susi, die uns mit ihren Schenkeln zerquetschen will, hohopp, fier auf, und weg ist sie. Jedes Mal, wenn sie sich von einer Bö aufrichteten, lachte er Helmut glücklich an, tätschelte den Bootskörper und rief: Brav, Zugvogel, brav! Helmut sah, daß es immer schwieriger wurde, den Winddruck durch Manöver und Gewichtsverlagerung auszugleichen. Sie waren von fliegender Gischt längst klatschnaß. Er hielt seine Fockschot nur noch am letzten Zipfel. Dicht, brüllte Klaus Buch. Helmut schrie: Du spinnst. Er war ganz sicher, daß das Boot kentern würde, wenn das Vorsegel auch noch unter Druck stünde. Der Wind erzeugte mit dem losen Vorsegel ein hart knallendes Maschinengewehrgeräusch. Vollwarnung, schrie Klaus Buch triumphierend. Tatsächlich, die Lichter liefen mit doppelter Geschwindigkeit. Hinein jetzt, brüllte Helmut. Klaus Buch brüllte: Feigling. Helmut ertrug die totale Schieflage nicht mehr. Die Wellen liefen schon über Bord. Dieser Klaus Buch war also wahnsinnig. Jetzt hielten sie durch ihr so weit als möglich hinausgelehntes Gewicht und durch loseste Leinen das Boot gerade noch am Rande des Kenterns. Aber der Sturm nahm zu. Das Boot neigte sich schon. Helmut ließ einfach seine Leine los. Das Knallen und Knattern wurde unheimlich. Es war, als schlüge jemand auf sie los. Klaus Buch schrie: Daß du zufrieden bist, wir ref-fen! Er drehte das Boot mit dem Bug genau in den Wind. Das Boot richtete sich sofort auf. Gott sei Dank. Helmut konnte wieder atmen. Klaus Buch rief: Los, an die Pinne! Nimm sie zwischen die Beine! Halt das Boot genau im Wind! Nicht so zimperlich, Mensch! Nur hingelangt! Als wär's ein Stück von dir! Er lachte und tanzte zum Mast. Helmut wußte nicht, wie er in diesem Toben und Knallen und Knattern mit diesem lächerlichen Stück Holz etwas ausrichten sollte. Er hatte das Gefühl, es sei Mitternacht. Plötzlich spürte er einen Druck auf der Pinne. Das Boot stand nicht mehr genau im Wind. Er ruckte. Aber in die falsche Richtung. Das Großsegel schlug quer weg. Klaus Buch brüllte etwas. Rannte auf Helmut zu, riß dem die Pinne aus der Hand, bückte sich nach Leinen. Helmut hatte das Gefühl, daß das Boot jetzt gleich kentern werde. Spätestens, wenn Klaus Buch das Großsegel wieder hereinholen würde, wenn wieder diese entsetzliche Lage entstehen würde. Als sich Klaus aufrichtete und mit Pinne und Leine arbeitete, um das Boot wieder unter Kontrolle zu bringen, als das Boot schon wieder anfing, sich zur Seite zu neigen, schrie Helmut: Nicht! Klaus Buch schrie: Wir heben ab! Und lachte. Unmäßig. Und hing in einer furchtbaren Art über das Boot hinaus. Er lag praktisch auf dem Rücken. Das Boot hatte wieder die entsetzliche Schräglage erreicht. Es war vorauszusehen, daß es in den nächsten Sekunden endgültig kentern würde. Komm, Schatz, brüllte Klaus Buch, ich brauch dein Gewicht. Helmut placierte sich auf dem Bootskörper, behielt aber sein Hauptgewicht innerhalb des Cockpits. Klaus Buch ließ sogar den Kopf noch nach hinten fallen und brüllte zum Himmel hinauf *Lucy in the sky.* Als Helmut sah, daß die über Bord laufenden Wellen jetzt gleich ins Cockpit schlagen würden, stieß er mit einem Fuß Klaus Buch die Pinne aus der Hand. Jetzt passierte alles gleichzeitig. Das Boot schoß wieder in den Wind. Klaus Buch stürzte rückwärts ins Wasser. Das Boot richtete sich auf. Der Wind kriegte es von der anderen Seite zu fassen. Helmut duckte sich gerade noch unter dem herüberschlagenden Großsegel durch. Dann kauerte er am Mast und sah nach Klaus Buch. Bevor der hinunter war, hatte Helmut noch einen Blick von ihm empfangen. Das Großsegel war losgerissen. Großsegel und Vorsegel flatterten voraus. Der Wind kam von hinten. Trotz des Geknatters der Segel war es jetzt plötzlich viel ruhiger. Helmut stand vorsichtig auf, suchte die weißen Wellenkämme und die dunklen Wellentäler ab. Er brüllte: Klaus! Immer lauter brüllte er: Klaus! Klaus! Als er das Gefühl hatte, er brülle jetzt nur noch sich zuliebe, hörte er auf. Sei still, dachte er. Fang jetzt überhaupt nichts an. Sei bloß still. Klaus müßte sich retten können. Ein solcher Sportler. Sollten sie je kentern, hatte Klaus doziert, müsse man sich von den Wellen tragen lassen. Nie versuchen, ein näher liegendes Ufer gegen die Wellen zu erreichen. Es sei überhaupt kein Problem, MIT den Wellen 5 Kilometer zu schwimmen, aber unmöglich, gegen sie 500 Meter. Überhaupt kein Problem. Also bitte. Idiot. Schluß. Du hast es nicht gewollt. Du hast es doch nicht gewollt! Also bitte. Warum verteidigst du dich dann? Du hast es nicht gewollt. Schluß. Klaus kann sich retten. Du aber nicht. So ist das. Er würde sich an dieses Boot klammern. Wenn es sinken würde, würde er auch sinken. Aber vielleicht sank es nicht. Klaus Buch hatte etwas über Auftriebskörper gesagt. Er suchte nach Stellen, an denen er sich festklammern konnte. Er wollte nicht mehr hinausschauen. Aber dem Knallen und Knattern nach mußte er immer noch Fahrt machen. Es war jetzt ziemlich dunkel. Es regnete. Klaus ... Ach Sabine, wenn du wüßtest. War er je so zerschlagen gewesen. Er heulte auf. In den letzten Monaten, in denen er noch geschlechtlich mit Sabine verkehrt hatte, hatte er genau dieses Gefühl erlebt, das Gefühl, vernichtet zu sein. Jedes Mal war es, als habe er einen nicht wieder gut zu machenden Fehler begangen. Jedes Mal hatte er so geheult. Ein lang gezogenes, immer höhere Töne erreichendes Heulen. Er hatte das Gefühl gehabt, er könne sein Leben nur noch ertragen, wenn er jetzt fortfahre und nie mehr aufhöre, solche hohen, sich endlos hinziehenden halblauten Schreie auszustoßen. Aber er durfte nicht. Sabine war jedes Mal so erschrokken, daß er gleich wieder aufhören mußte. Er hatte gesagt, er mache das nur aus Spaß. Bitte, sie möge überprüfen, seine Augen seien absolut trocken. Es mache ihm Spaß, diese kleinen Schreitöne auszustoßen. Aber Sabine hatte gesagt, dann könne sie nicht mehr leben. Diese Töne seien furchtbar.

Jetzt durfte er seine Schreie ausstoßen, in so langen und so hohen Tönen wie er wollte. Er hatte wieder einen nicht wieder gut zu machenden Fehler gemacht.

Erst als der Kiel plötzlich im Uferkies schürfte, hörte er auf, Töne auszustoßen. Er sprang ins Wasser, watete an Land und ging auf das nächste Licht zu.

Die Leute erschraken. Sie verständigten den Krankenwagen. Sie nötigten ihn, Tee mit Schnaps zu trinken. Er sei in Immenstaad, sagten sie. Sie riefen die Wasserschutzpolizei an, damit sofort alles unternommen werde, seinem Freund zu Hilfe zu kommen. Sie riefen Sabine an. Sie riefen Helene Buch an. Helmut dachte, es sei das Beste, er selber bleibe apathisch. Klaus hatte in Unterhomberg gesagt, ein fliehendes Pferd lasse nicht mit sich reden. Er hatte zugestimmt.

9.

Helmut stand am Fenster und beobachtete mit dem Fernglas, wie in den Fingerhutblüten die zehnmal so großen Ameisen über die Blattläuse hingingen und sie molken. Voyeur, sagte Sabine. Vielleicht solltest du Helene Buch anrufen, sagte er. Wenn sie jetzt noch nichts gehört hat, hört sie nichts mehr, sagte Sabine. Hast du gesehen, die rötliche Lilie ist heute nacht aufgeblüht, sagte er. Sie würde uns doch anrufen, wenn sie etwas gehört hätte, sagte Sabine.
Helmut ging auf dem Kirman-Teppich hin und her. Ruf sie doch an, sagte er, zur Sicherheit.
Sabine stand auf und ging, widerwillig, zu Zürns hinüber. Sie konnte das. Er hatte in den elf Jahren noch nie das Zürn'sche Telephon benutzt.
Als er einmal auf diesem hellen Kirman mit dem dunkelblauen Medaillon spazieren gegangen war, hatte er nichts gegen die Vorstellung tun können, er führe an seiner rechten Hand einen Menschen von der Größe eines siebenjährigen Kindes und dieser Mensch sei Friedrich Nietzsche, aber in seinem 40. Lebensjahr, aber reduziert auf die Maße eines Siebenjährigen. Und der hatte entsetzliche Angst vor Otto gehabt.

Also hatte er sich richtig an Helmuts Hand geklammert.
Klaus Buch hatte dann genau diese Angst vor Otto gehabt, die Helmut schon von seinem kleinen Nietzsche gekannt hatte.
Helmut pflegte, wenn er allein über den Kirman ging, unwillkürlich vor sich hinzusprechen. Stille, sagte er dann, Stille, Stille. Und nach einer gewissen Pause: Tote eins rauf, Tote eins rauf.
Das waren schon alte Gewohnheiten, dieses *Stille* und *Tote eins rauf*. Sobald Sabine draußen war, sagte er jetzt: Stille, Stille, und, nach einer Pause: Tote eins rauf, Tote eins rauf. Aber er hatte das Gefühl, daß er heute nicht von selbst zu sprechen begonnen hatte, sondern willkürlich.
Sabine meldete, Hel habe noch nichts gehört. Gehen wir denn heute gar nicht hinunter, fragte er. Sie könne den See heute nicht sehen, sagte sie. Frau Zürn habe gesagt, in der Zeitung stehe, daß bei dem gestrigen Sturm drei Personen ertrunken seien. Einer sei ertrunken, obwohl zwei Motorboote an das gekenterte Segelboot herangefahren seien und dem Segler, der sich an seinem Boot festgeklammert habe, Leinen zugeworfen hätten. Die Wellen hätten den vom Boot weggerissen, die Leinen habe er nicht

mehr fassen können, er sei vor den Augen der Retter verschwunden. Helmut nickte, als kenne er das. Sabine legte ihre Hände um ihn und schmiegte sich an ihn. Helmut erwiderte das, so gut es ging. Er gehe trotzdem ans Wasser. Vielleicht komme sie nach. Was hat Hel für einen Eindruck gemacht am Telephon, fragte er. Elend leise habe sie gesprochen. Fast nichts gesagt. Nur JA und NEIN. Helmut nahm den ersten Band Kierkegaard und ging rasch hinaus und hinunter ans Wasser. Otto freute sich und rannte mit. Draußen wurden sie von Zürns Florian begrüßt, der immer mit Otto etwas anfangen wollte. Aber die Hündin Otto wehrte die Versuche des gleichaltrigen Rüden Florian jedes Mal so böse als möglich ab.
Der See wollte heute randlos erscheinen. Heiter. Und unschuldig. Das gefiel Helmut. Kein Mensch hätte in dieser sanft blau glänzenden Randlosigkeit den fauchenden Wilden von gestern wiedererkannt. Ein selbst unsichtbarer Dunst machte alles Sichtbare blau, indirekt, milde, immateriell, brachte es zum Schweben. Keine Begrenzungen mehr. Keine Kontraste. Nur noch Übergänge. War das nicht ein Tag, an dem man von dem Wort *unendlich* Gebrauch machen konnte? Hätte machen können, wenn . . . Er spürte seine Fersen. Eiskalt. Als

lägen sie im Schnee. Die ganze Nacht hatte er immer wieder seine Fersen in seine Hände genommen und war jedes Mal überrascht gewesen, daß sie sich ganz normal anfühlten. Sobald er sie aber losließ, meldeten sie einen Schmerz, den er als Eiseskälte empfand. Zum ersten Mal hatte er diese Empfindung doch bei der ersten Segelpartie gehabt . . . Ja, ja, nur zu. Als er gestern abend endlich heimgefahren worden war und nur noch so rasch als möglich unter die Bettdecke wollte, war auf seiner Bettseite auf dem Bettvorleger ein riesiges Insekt gelegen. Ein schönes grünes Heupferd. Helmut wäre bald darauf getreten. Er wollte es aufheben, aber es hatte sich, wohl im Sterbekampf, in das Gewebe des Vorlegers gekrallt.
Er mußte eine kleine Gewalt anwenden, es loszureißen. Von den langen Antennen war eine gesenkt. Sonst war das schöne grüne Tier völlig unversehrt. Seine Halbkugelaugen können offenbar nicht geschlossen werden. Helmut hatte gedacht: Nur zu. Flügel wie ein Frack, hatte er gedacht. Ein grünes Nackenschild wie ein Schubertkragen. Oder wie Klaus Buchs goldene, in den Kragen reichende Haarbrücke. Plötzlich hatte das Tier die lange untere Hälfte eines Hinterbeins angezogen und dann wieder fahren lassen. Dann hatte das ganze Hinterbein ange-

fangen zu zucken. Es wurde richtig hin- und hergerissen. Auch das zweite Hinterbein zuckte ein bißchen. Der lange Leib zitterte. Er konnte das nicht mitansehen. Er legte das grüne Pferd auf die Fensterbank zwischen die Gitterstäbe, kroch unter die Bettdecke und wünschte ein Zittern herbei. Tatsächlich zitterte er dann. Eine ganze Weile. Dann mußte er noch Sabine anschreien. Ihr Wimmern mache alles nur noch schlimmer, schrie er. Darauf heulte Sabine laut heraus. Aber danach wurde sie ruhiger. Heute morgen war das Heupferd verschwunden gewesen.
Er schlug sein schwarzes Kierkegaardbuch auf und begann zu lesen: *Während meines Aufenthaltes hier in Gilleleie habe ich Esrom besucht, Fredensborg, Frederikvaerk und Tidsvilde. Der letzte Ort ist vornehmlich durch die Helenenquelle bekannt, wohin die ganze Umgegend zur Zeit des Johannistages wallfahrtet.* Helmut schlug das Buch zu. Er wußte nicht, wie er sich einstellen sollte.
Plötzlich hatte er das Gefühl, daß von jetzt an von allen Seiten ununterbrochen Angriffe zu gewärtigen seien. Es gab keine unverfängliche Minute mehr.
Plötzlich war alles unvorhersehbar. Er konnte nicht liegen bleiben. Also, Lesen war sicher die

Beschäftigung, die am wenigsten möglich war. Er mußte sich rühren. Er müßte. Wenn er könnte. Herrgott, jetzt dreh nur nicht schon am ersten Tag durch, man kann mit ganz anderen Sachen fertig werden, Notwehr, mein Gott, Notwehr. Du hast es nicht gewollt. Wenn der sein verrücktes Rodeo weitergemacht hätte, wären wir gekentert. Und das hätte keiner überlebt. Steht ja in der Zeitung, stopp-stopp-stopp, so darfst du nicht denken, gib ruhig was zu, laß ruhig dein Gewissen grasen, was heißt denn das, bitte, das Gewissen grasen lassen, wohl ein Wettbewerb in Maulhurerei, stopp, gib zu, du wirst nicht fertig damit, dein Gedächtnis bedient dich wie noch nie, von Schädelstätte keine Spur, drastisch sozusagen, du hast eben gelebt in diesem Augenblick, du bist aus dir herausgegangen, Ha-Ha, eine Sekunde lang hast du den Schein nicht geschafft, an dieser Sekunde klebst du jetzt, wirst du kleben, wenn sich der Riß dieser Sekunde nicht mehr schließen läßt.

Er stand auf, rannte hinauf und sagte, er möchte mit Sabine einen Waldlauf machen. Sabine erschrak. Einen ganz milden. Keine sportliche Tortur. Nur ein Hauch von Dauerlauf. Dauerlauf, Sabine, kennst du das Wort. Ich liebe dieses Wort. Dauerlauf. So ganz sachte antraben. Turnschuhe. Es fehlen die Turnschuhe.

Paß auf, ich gehe schnell in die Stadt und kauf uns Turnschuhe, Trainingsanzüge, Turnhosen, Turnhemden. Bitte, nicht lachen, nicht weinen, es hat alles keinen Sinn, wir müssen uns bewegen. Wenn du nicht baden willst, dann laufen wir eben. Laß uns auch einmal opportunistisch sein, Mensch. Volkslauf, Sabine. Gehst du mit in die Stadt? Wir könnten uns Fahrräder leihen. Bei Zürns. Würdest du das tun? Bitte, bitte, Sabine, sei so gut, frag, ob wir zwei Fahrräder kriegen, oder nein, wir kaufen welche, ja, endlich, jetzt flutscht es – zu spät, das Klaus-Buch-Wort war schon heraus, und Sabine hatte es als solches erkannt –, wir kaufen Räder, vorn, vis à vis vom *Löwen,* die blitzendsten Räder, die es gibt, dann fahren wir in die Stadt, dann kleiden wir uns ein, dann fahren wir mit den Rädern in die Wälder, dann stellen wir die Räder hin und machen einen Waldlauf. Komm.
Sabine ließ sich schieben. Sie versuchte zu nikken. Sie dachte sicher an Klaus Buch. Aber sie sprach seinen Namen nicht aus. Sie gingen ins Dorf. Sie kauften die besten Fahrräder, die es gab. In der Stadt kauften sie die Kleidungen. Dann fuhren sie auf dem Seeweg zurück zur Wohnung. Das Radfahren machte gleich Spaß. Ihre Unbeholfenheit war kleiner als sie befürchtet hatten. Helmut sagte: Mensch, Sabine, bin

ich froh, daß wir noch auf das Radfahren gekommen sind. Das ist der richtige Anfang. Wie das läuft. Ein richtiges Erfolgserlebnis, findest du nicht? Ja, rief Sabine. Wart nur, rief er, wenn wir uns umgezogen haben, wird es noch viel schöner. Er hatte das Gefühl, als könne ihn nichts mehr aufhalten.

Das Umziehen in der Wohnung ging in unverminderter Hast vonstatten. Inzwischen war Sabine von Helmuts Eilkraft ergriffen. Beide bewegten sich mühelos. Sie fanden, in den Trainingsanzügen sähen sie komisch aus, aber nicht lächerlich. Sie sähe sogar sehr interessant aus, sagte Helmut. Wie eine Sportlerin aus einer transuralischen Sowjetrepublik. Du siehst aus, sagte sie, wie ein US-Generaldirektor am Samstag. Er hatte allerdings Angst, er habe seine Turnschuhe um eine Nummer zu klein gewählt. Endlich kenn ich dich wieder, sagte sie. Aber er ließ keine Pause zu.

Als sie nach ihren Fahrrädern griffen, fuhr der alte silberne Mercedes vor. Es war Helene Buch. Sie war überhaupt nicht erstaunt, Halms mit Fahrrädern in der Hand und in Trainingsanzügen anzutreffen. Sie selbst war auch angezogen, wie sie Halms noch nicht gesehen hatten.

Die älteste, verflickteste Jeanshose und eine

dunkelblaue zweireihige Nadelstreifenjacke. Darunter ein ehemals schwarzes T-Shirt. Und die Haare eng am Kopf. Jetzt sah man, daß ihr Hals fast gebogen war. Man sah jetzt, daß sie den schönen langen sanft gebogenen Hals hatte, um diese überaus sanfte kleine Nase hoch in die Welt halten zu können.

Sie habe es im Hotelzimmer nicht mehr ausgehalten.

Halms stellten die Fahrräder weg und gingen mit Helene hinein. Sabine machte Kaffee und fragte Hel, was sie ihr machen dürfe. Hel sagte, sie trinke gern einen Kaffee mit. Sabine sagte im Frageton, sie habe auch noch einen selbstgebakkenen Kirschkuchen da. Ja, gern, sagte Hel. Jeder aß zwei Stücke von dem Kuchen. Hel sagte, das sei seit vier Jahren der erste Kuchen, den sie esse. Es sei der beste, den sie überhaupt je gegessen habe. Kaffee und Kuchen, das ist schon etwas, sagte Helmut. Ohne Kaffee und Kuchen, sagte er, möchte ich nicht leben. Er hoffte, Hel und Sabine bemerkten, daß er dieses Zeug nur sagte, damit das Schweigen nicht noch mehr anwüchse. Sobald niemand mehr etwas sagte, wurde das Kuchenessen ekelhaft feierlich.

Danach fragte Sabine vorsichtig, ob es Hel störe, wenn sie eine Zigarette rauche. Nein, nein, sagte Helene und lächelte ein bißchen

rekonvaleszentenhaft. Sie habe das Gefühl, sie könnte heute auch eine Zigarette vertragen. Sabine bot ihr eine an.
Das Auffälligste war jetzt die rauchende Helene. Sie nahm lange, tiefe, ruhige Züge. Wie jemand, der sich von etwas ernsthaft überzeugt.
Einmal sagte sie: Ich stör euch. Es wäre natürlich schön, wenn ihr euch durch mich nicht stören ließet. Wenn ihr, zum Beispiel, jetzt lesen würdet, wüßte ich, ich störe euch nicht. Ich will nur nicht allein sein, jetzt.
Sabine fragte, ob sie noch eine Kanne Kaffee machen dürfe. Helene nickte mit einem zarten Eifer. Wir könnten dir auch einen zwölf Jahre alten Calvados anbieten, sagte Sabine. Helmut machte ein kritisches Gesicht und sagte schroff: Sabine! Sie sollten alles tun, was sie sonst auch täten, sagte Helene, sonst könne sie keine Sekunde länger bleiben. Sabine könne ihr gern ein Glas Calvados hinstellen, dann habe sie weniger das Gefühl, daß sie störe. Sabine schenkte jedem einen Calvados ein. Helmut sagte: Für mich nicht. Helene sagte: Warum rauchst du nicht? Helmut winkte ab. Ich mag es gern, wenn du Zigarren rauchst. Mein Vater hat auch Zigarren geraucht.
Als man saß und Sabine und Helene Kaffee und Calvados tranken und rauchten, sagte Helmut:

Ich weiß nicht, Sabine, ist es besser, wenn ich erzähle, wie es war, oder ist es besser, wenn wir jetzt nicht darüber sprechen. Ich weiß es einfach nicht. Hel, du mußt sagen, was dir ... möglich erscheint, es kommt auf dich an. Helene schaute auf. Er hatte tatsächlich *Hel* gesagt. Vielleicht zum ersten Mal. Anstatt zu antworten, verfiel sie in ein krampfartiges Weinen. Ein lautes, langgezogenes Heulen. Helmut war gleich aufgesprungen. Er ging in jähen, geradezu zornig wirkenden Schritten auf und ab. Helene stand auch auf, brachte ihn zum Stillstand. Dann weinte sie wieder. Diesmal lehnte sie den Kopf an ihn. Er spürte, wie es sie schüttelte. Er führte sie zum Sessel zurück. Sabine heulte auch. Auch Helmut konnte nicht verhindern, daß ihm Tränen kamen. Plötzlich fiel ihm ein, daß Sabine gesagt hatte, sie könne nicht mitsegeln, weil sie beim Friseur angemeldet sei. Helene hatte sicher längst bemerkt, daß Sabine nicht beim Friseur gewesen war.
Helene trank den Calvados, den Helmut abgelehnt hatte. Sabine schenkte alle drei Gläser wieder voll. Helene war die erste, die nach dem frisch gefüllten Glas griff.
Jetzt rauch doch deine Zigarre, sagte sie. Ich weiß ganz sicher, daß du jetzt rauchen würdest, wenn ich nicht da wäre.

Auch Sabine nickte ihm aufmunternd zu. Helmut sagte: Nein, wirklich nicht. Im Augenblick nicht. Vielleicht nachher. Helene stellte das dritte gefüllte Calvadosglas wieder deutlich vor Helmut hin, dann prostete sie Helmut zu. Er schüttelte den Kopf. Sie und Sabine tranken. Helene sagte: Mein Gott, ist dieser Calvados gut. Vor sechs Jahren habe ich ein Semester in Montpellier studiert, da habe ich öfter Calvados getrunken. Zwischen ganz dicken Mauern. Helmut dachte unwillkürlich an die dünnen Wände des Hotels in Grado. Er schaute zu Sabine hin und sah, daß sie an das gleiche dachte. Das ärgerte ihn. Montpellier, sagte Helene, war die schönste Zeit meines Lebens. Dieser Satz klang komisch.

Sie trank aus. Sabine schenkte ihr wieder ein.

Jetzt bin ich die einzige, die trinkt, sagte sie.

Zum Wohl, sagte Sabine und trank mit ihr.

Morgen früh fahr ich, sagte sie.

Nach Starnberg, sagte Sabine.

Helene nickte.

Helmut hatte das Gefühl, er werde sich nie mehr bewegen können. Auch daß er je wieder sprechen werde, kam ihm unwahrscheinlich vor.

Klaus würde, sagte sie vor sich hin, wahrscheinlich sagen, das Leben geht weiter.

Man sah, daß sie drauf und dran war, wieder zu heulen. Man sah, daß sie sich diesmal wehren wollte. Sie biß sich in die Lippen.
Ich weiß nur noch nicht wie, sagte sie.
Sie wehrte sich weiterhin gegen einen von innen drohenden Weinüberfall. Sie trank ihr Glas leer. Sabine schenkte ein.
Klaus hat einmal gesagt, sagte sie, du mußt mich nur mögen, so lange ich lebe. Und jetzt habe ich das Gefühl, ich kann nie glauben, daß er tot ist. Das bring ich nicht in mich hinein. Nie. Für mich lebt er.
Sie trank ihren Calvados leer und hielt Sabine das Glas zum Füllen hin. Sie sagte: Prost. Sabine trank mit ihr.
Er hat nicht viel gehabt von seinem Leben, sagte sie. Es war nichts als eine Schinderei. Jeden Tag zehn, zwölf Stunden an der Maschine. Auch wenn er nicht schreiben konnte, hockte er an der Maschine. Ich muß auf dem Posten sein, hat er dann gesagt. Ihm ist alles, was er getan hat, furchtbar schwer gefallen. Deshalb hat er ja rundum den Eindruck verbreitet, er arbeite überhaupt nicht; was er mache, mache er nur aus Freude an der Sache, mühelos. Ja, mühelos, er wollte mühelos erscheinen. Und dann immer das Gefühl, daß alles, was er tue, Schwindel sei.

Daß man ihm eines Tages draufkommen werde. Er hat oft aufgeschrien, nachts. Und immer öfter hat er Schweißausbrüche gehabt, mitten in der Nacht. Darum hat er immer gesagt: Wir hauen ab auf die Bahamas. Wenn wir allein waren, hat er dazugefügt: Zu den anderen Verbrechern. Er war zutiefst davon überzeugt, daß er ein Verbrecher sei. Wir hätten natürlich nicht die geringste Aussicht gehabt, auf die Bahamas zu ziehen. Wir konnten uns ja kaum so einen Urlaub hier leisten. Er hat auch im Hotelzimmer jeden Tag noch gearbeitet. Und ich sollte Großmüttersprüche sammeln. Das ist vorbei. Das ist das einzige, was ich sicher weiß. Nie mehr in meinem Leben rühr ich ein Tonband an. Nie mehr eine Schreibmaschine. Ich konnte ihm nicht sagen, wie wenig mir das liegt, in stille Dörfer eindringen, den Bürgermeister fragen, diese lieben alten Frauen ansprechen, ihnen erklären, wie und was, und was ein Mikrophon ist. Aber er war so begeistert von seiner Idee. Er war ein Kind. Oder er wollte eins sein. Man kann alles. Das war auch so ein Spruch von ihm. Er hätte Sportlehrer werden sollen. Oder Entdeckungsreisender. Aber nicht heute. Vor hundert Jahren. Segelschiffkapitän. Abenteurer. Jemand, der mit allen Schwierigkeiten fertig wird. Wenn sie aus der Natur kommen. Der Natur

gegenüber war er immer mutig, einfallsreich, unbesiegbar. Nur Leute . . .
Sie machte eine abstürzende Bewegung.
Er war ja unheimlich praktisch. Das Häuschen in Starnberg war ein Hühnerstall, als wir es kauften. Ein Flüchtling hat eine Hühnerfarm aufmachen wollen und hat es nicht geschafft. Klaus hat alles selber gemacht. Und wie. Eine Terrasse, sowas gibt es nicht ein zweites Mal. Aus rotem Sandstein. Diese rote Terrasse ist sein Denkmal. Die wird bleiben, das weiß ich. Aber im Grunde genommen war er fertig. Ehrlich. Er war auf dem falschen Dampfer. Und mich hat er auch auf diesen falschen Dampfer gezwungen. Darum weiß ich, wie das ist, auf dem falschen Dampfer zu sein. Das ist die Hölle. Durch einen saublöden Zufall ist er in diesen Scheißjournalismus hineingekommen. Dann auch noch in dieses Umweltzeug. Dann hat er geglaubt, er muß das alles ernst nehmen, weil wir jetzt davon leben. Er war so verkrampft. Zuletzt hat er mit allen Leuten Krach gekriegt. Aber schon mit gar allen. Die Redakteure und Lektoren, von denen er abhängig war, hat er gehaßt, weil er von ihnen abhängig war. Wenn einer auch nur einen Hauch von Kritik spüren ließ, hat Klaus das eigene Manuskript vor dessen Augen zerrissen. Das war echt

brutal. Natürlich auch lächerlich. Er hatte ja einen Durchschlag. Das wußte jeder. Er hat nur darauf gewartet, daß sie ihm in den Arm fallen. Gegrinst haben sie.
Sie trank aus, hielt das Glas hin, kriegte es gefüllt, sagte Prost, und trank. Sabine trank mit ihr.
Wie er Leute, von denen er abhängig war, beleidigt hat, war echt brutal. Eben weil er abhängig war von ihnen. Seinen Verleger, was er mit dem aufgeführt hat. Eine Zeit lang ist er regelmäßig nach München hineingefahren und hat das Auto des Verlegers ... ich kann es gar nicht sagen. Er war eben fertig. Fix und fertig. Deshalb hat er sich doch so gefreut, daß wir euch getroffen haben. Jetzt packen wir's, hat er, nach dem ersten Abend, gesagt. Er war ein Phantast. Sofort hat er wieder von den Bahamas angefangen. Mit Helmut auf die Bahamas. Das war sein neuester Einfall. Es war nicht ganz leicht mit ihm, das kann ich euch sagen. Wegen seiner Empfindlichkeit. Weil sie ihn merken ließen, daß sie ihn gar nicht brauchten. Als sie ihn das merken ließen, war es aus. Seitdem hat er angefangen, hundertmal am Tag, ich schwör' es, einhundertmal am Tag hat er gefragt, ob ich ihn noch möge. Er ist sich immer mehr vorgekommen wie der letzte Dreck. Und ich mußte ihm

andauernd beweisen, daß er nicht der letzte Dreck ist, sondern der Allerallerallertollste. Und zwar glaubhaft. Aber ja.
Sie sprang auf. Ging hin und her. Sie hatte das Glas in der Hand. Ließ es sich füllen. Trank.
Man hat praktisch nicht mehr reden können mit ihm. Ich hatte allmählich das Gefühl, daß ich es nicht mehr sehr lange aushalten werde. Es kam mir immer mehr so vor, als müsse ich einen Ertrinkenden über Wasser halten. Wenn es mir nicht mehr gelänge, würde er uns beide hinabreißen. Ich habe gemerkt, daß ich das nicht ewig schaffen werde. Darum war ich genau so froh, daß wir euch trafen. Wir waren ja total isoliert. Total. Bitte, ihr versteht mich nicht falsch. Ihr wißt, daß ich nichts gegen Klaus sagen will. Ich will ... ich muß nur sagen ... euch muß ich ... einmal muß ich jemand sagen, wie es ... Ich bin ... ich selber habe praktisch ... wenn ich das ein einziges Mal sagen dürfte ... ich habe nicht leben dürfen, das hat er nicht gestattet. Ich habe mich für das, was er gemacht hat, noch viel mehr interessieren müssen als er selber. Wie wenn ich seine Tochter gewesen wäre: Was er nicht erreicht hat, das sollte ich erreichen. Ich war sein Stolz. Andererseits war er sauer, wenn jemand etwas gelobt hat, was ich gemacht habe. Er war verrückt. Er hatte, weil er merkte, daß er

nicht gebraucht wurde, einen Grad von Egoismus erreicht, den man eine Geisteskrankheit nennen sollte. Ich habe Musik studiert, als er mich kennenlernte. Von heut auf morgen habe ich das aufgeben müssen. Wir kennen uns noch kein Vierteljahr, da dekretiert er, zur wirklichen Musikerin reicht es bei dir nicht, laß das sein, du machst dich nur unglücklich dadurch. Basta. So. Und dann hat er mich auf seine Interessen dressiert. Ich war zweiundzwanzig. Und ein Idiot. Ich war ein Idiot, also, das Matterhorn ist nichts dagegen, so ein Idiot war ich. Natürlich weiß ich auch, daß er nichts dafür kann ... aber warum ich ... warum soll ausgerechnet ich dafür zahlen. Mein Klavier hab ich verkaufen müssen. Jaa!! Er hat einen Fanatismus entwikkelt gegen Musik. Entweder er oder die Musik! Noch ein Jahr, dann wäre es wahrscheinlich vorbei gewesen mit mir. Dann hätte ich es auch für immer ausgehalten. Prost. Ist das nicht ergreifend, was man alles aushält! Das hab ich ihm zu verdanken. Das weiß ich ein für alle Mal. Ich halte etwas aus. Ich ... wetten, daß ich mehr aushalte als ihr zwei zusammen. Komm, los, jetzt wettet doch einmal mit mir. Ich möchte gewinnen. Ich hab schon so lang nichts mehr gewonnen. Mir ist es jetzt ... ein Klavier habt ihr nicht in eurer grandiosen Ferienwohnung. Nicht einmal eine Geige. Das ist ein ganz schöner Beschiss. Eine Ferienwohnung ohne Klavier. Und keine Geige. Und das seit elf Jahren. Elf Jahre ohne Klavier und Geige. Ihr haltet doch was aus. Ihr müßt ganz schön abgehärtet sein. Laß mal fühlen, Helmut. Bist du abgehärtet? Deine Seele? Laß mal fühlen. Dein Ohrläppchen. Weißt du das nicht? Wie das Ohrläppchen, so die Seele. Also, du hast ein etwas ausgemolkenes Ohrläppchen, kommt mir vor. Und du, Sabinchen? Frauen haben einfach reichere Ohrläppchen als Männer, das stellt man immer, immer wieder fest. Überhaupt Frauen, mmm! Also es gibt Frauen, die haben einen Reichtum. Da kannst du jeden Mann vergessen. Was ist ein Mann, Sabine? Gibt an wie der Rotz am Ärmel, gut. Noch was? Nischt. Klaus hatte ... ach Klaus ... Irgendwie schwimme ich in einer Flüssigkeit. Und von der Flüssigkeit, in der ich schwimme, trink ich auch noch. Also das ist schon fast ein bißchen himmlisch. Wenn's bloß nicht plötzlich aufhört. Helmut, du sorgst dafür, daß nicht plötzlich das Telephon geht und der Herr Dr. Stahlhagen aus München anruft und sagt, er wolle von uns nichts mehr ... Was ich euch zu verdanken habe, das geht auf keine Kuhhaut, ehrlich. Ihr seid überhaupt die höchsten Menschen. Und euch treffen wir, wie's praktisch zu spät ist. Sowas von einem Pech. Helmut, du weißt nicht, wie glücklich Klaus war, weil er dich getroffen hat. Es ist, wie wenn ich einen Schatz gefunden hätte, hat er gesagt. An dir, das hat er gespürt, an deiner ruhigen, festen Art, hätte er gesund werden können. Das hat ihm gefehlt, deine Vernunft, deine Ausgeglichenheit, die innere Ruhe. Ach, ihr zwei Lieben, ihr könnt mich jetzt ein bißchen baden, wenn ihr wollt. Ich bleib bei euch. Und ihr badet mich. Mit einem großen Schwamm. Habt ihr keine Badewanne. Ihr habt auch bloß Dusche. Halt auch ein bißchen armselig, gell. Macht doch nichts. Wäre ja nicht schlecht gewesen, wenn ihr mich gebadet hättet. Aber so ist es halt. Ich, Luxusgeschöpf, möchte in eine Badewanne. Aber eine Badewanne ist nicht da. Genau wie in der Wüste Sahara. Es könnte sein, ich werde jetzt traurig. Bitte, das müßt ihr euch nicht zu Herzen nehmen. Ein warmes Bad ist das Beste gegen Traurigkeit. Es muß schon gut warm sein. Wenn ich in einem warmen Bad liege, fange ich immer an zu singen. Obwohl ich sonst überhaupt nicht mehr singe in letzter Zeit. Also das ist so rapide zurückgegangen bei mir, das Singen. Praktisch auf unter Null. Manchmal hock ich und ströme ein Schweigen aus. Und in dem hock ich dann.

Wie unter einer Glasglocke. Dann, meine Damen und Herren, packt es mich. Packt SIE mich. Die Schwermut halt, die cholerische, sich selbst zerbeißende. Weil ich nicht mehr wert bin als etwas, was man an die Wand wirft, damit es noch ganz hin ist und dann so kaputt liegen bleibt, daß man nicht mehr merkt, was es war oder wie es gedacht war. Das ist überhaupt das Wichtigste, daß die Zerstörung weit genug geht. Wenn man uns alle bloß halb kaputt machen würde, das gäb eine Mitleidswoge, in der würden wir dann todsicher ersaufen und aus wär's mit der Welt. Als Zerschmetterte aber leben wir fühllos weiter. Ich danke Ihnen.
Jetzt fangen wir sofort an. Wir haben schon zuviel Zeit vertan. Meine Damen, und Herren, ich bin nicht so vorbereitet wie man es heute als Künstlerin gern wäre. Aber auf eine andere Art bin ich wieder viel zu sehr vorbereitet. Ich kann es mir erlauben, Sie um Ihre Aufmerksamkeit zu bitten. Ich spiele Ihnen die *Wanderer-Fantasie* von Franz Schubert.
Sie spielte die Töne in die Luft, sang die Töne, stieß die Rhythmen hervor, machte mit den Fingern Zeichnungen. Sie ging hin und her, stoppte, drehte sich. Sie trug das Klavierstück vor wie einen Text. Sie ließ keine Silbe aus und sagte genau, wie sie es meinte.

Es klopfte. Helmut rannte zur Tür. Frau Zürn. Da sei ein Herr, der seine Frau abholen wolle. An ihr vorbei, an Helmut vorbei, trat Klaus Buch in die Wohnung.
Helmut nickte Frau Zürn noch zu, dann schloß er die Tür, dann befahl er Otto zu sich und paßte auf ihn auf.
Klaus, schrie Sabine.
Helene sagte, ihre Musik sofort abbrechend, irgendwie ermattend, erlöschend: Mein Klaus, mein lieber, lieber Klaus. Ja, was sag ich denn immer: Lebendig ist er, sag ich, und was ist er: lebendig. Und so spät kommt er. Das sieht ihm gleich. Er hat einfach wissen wollen, was wir tun, wenn er nicht dabei ist. Stimmt's. Schuft. Hab ich euch nicht gesagt, daß er ein Schuft ist. Klaus, bitte such dir einen guten Platz, ich muß bloß noch die Wanderer-Fantasie zu Ende spielen.
Sie fand die Stelle und machte weiter. Aber nicht mehr lang. Sie sah Klaus an, ihn ansehend, füllte sie sich einen Calvados ein, sagte Prost, trank das Glas leer und sah wieder Klaus an.
Klaus sagte: Komm jetzt.
Sie sagte: Hat es dir nicht gefallen? Entschuldige, du stehst da, ein frisch Geretteter, und ich spiele das Piano, ich würde mich nicht wundern, wenn du mich als Egoist einstufen wür-

dest. Du, der du ein den Wellen Entkommener bist. Er besiegt jede Natur. Das habe ich schon im voraus bekannt gegeben. Stimmt's?
Klaus sagte: Komm jetzt.
Helene sagte: Aber Klaus, laß uns doch noch bei unseren Freunden bleiben. Wir haben doch sowieso keine Badewanne in unserem Zimmer. Hier haben sie auch keine Badewanne. Also können wir doch genau so gut hierbleiben. Dem Schicksal, keine Badewanne zu haben, bleiben wir auf jeden Fall treu. Alles klar.
Ich gehe jetzt, sagte Klaus.
Hat dir jemand was getan, sagte sie. Ich seh's, du bist beleidigt. Klaus, schnell, sag deiner Hel, wer dich beleidigt hat. Und zwar ganz arg hat der dich beleidigt. Das seh ich doch. Iiiih! Durch und durch beleidigt haben sie unseren Klaus. Ich werde dich regenerieren, Liebster, und zwar binnen kurzem. Ich schwöre es dir.
Sie zündete sich wieder eine Zigarette an, nahm Helmuts Strohhut vom Haken und setzte sich den auf. Leihst du mir den, sagte sie. Und dann sagte sie: Komm, Genie, tapfer gehen wir.
Helmut und Sabine zuwinkend, ging sie hinaus und nahm dabei Klaus irgendwie mit. Klaus Buchs und Helmuts Blicke hatten sich, solange er da war, nicht getroffen. Das empfand Helmut jetzt. Also sollte er den Blick des nach

hinten Kippenden bewahren. Wahrscheinlich hatte Klaus ihn in diesem Augenblick so durchschaut, wie ihn noch niemand durchschaut hatte. Und der, der ihn so durchschaut hatte, lebte. Sie rührten sich erst, als sie das Auto abfahren hörten.
Sabine sagte: Moment, Moment.
Helmut setzte sich, zündete sich eine Zigarre an und schenkte sich Calvados ein und sagte: Prost. Und trank. Sabine trank nicht mit. Begreifst du, was er hat, fragte Sabine. Helmut reagierte nicht auf diese Frage. Helmut, was hat er, fragte Sabine. Er hat doch was. Statt, daß es jetzt eine Feier gibt, kommt er ... wie der Jüngste Tag persönlich. Begreifst du das?
Helmut nahm sein schwarzes Kierkegaardbuch und sagte: Wenn du dein Wagner-Mein-Leben suchst, es liegt drüben, soll ich's dir holen? Dann schlug er sein Kierkegaardbuch auf und las:
Während meines Aufenthaltes hier in Gillelei habe ich Esrom besucht, Fredensborg, Frederikvaerk und Tidsvilde. Der letzte Ort ist vornehmlich durch die Helenenquelle bekannt, wohin die ganze Umgegend zur Zeit des Johannistages wallfahrtet.
Er schlug das Buch wieder zu. Sabine saß noch genau so wie vorher. Komm jetzt, sagte sie. Wir wollten doch eine Radtour machen. In den

Wald. Einen Waldlauf. Komm. Helmut stand auf und sagte: Ich kann sowas nicht tragen. Er zog sich um. Während er sich umzog, sagte er zu Sabine, die Fahrräder könne man ja Zürns schenken. Man lasse sie einfach da, man könne sie ja benützen, falls man noch einmal hierher in Urlaub käme.
Er sagte: Bitte, Sabine, zieh dich auch um. Bitte. Sein Ton war wieder genau so fest und dringlich geworden wie der, mit dem er die sportliche Ausrüstung erzwungen hatte.
Als beide umgezogen waren, sagte er: Was hältst du davon, wenn wir jetzt packen? Oder so: Ich packe, du gehst zu Frau Zürn, bezahlst für vier Wochen, läßt dir auf keinen Fall einen Preisnachlaß einräumen, sagst, besondere Umstände, wir würden uns, falls wir nächstes Jahr kommen könnten, rechtzeitig undsoweiter. Bitte, bitte, Sabine. Im Zug erzähl ich dir alles. Bitte.
Sabine setzte sich und sagte, das gehe ihr zu schnell. Er sagte in einem völlig abweisenden, in einem nichts als erpresserischen, ganz glaubhaften Ton: Dann muß ich allein fahren. So, sagte Sabine. Ich möchte doch auch noch eine Rede halten, sagte Sabine. Wann halte denn ich meine Rede, bitte? Glaubst du vielleicht, ich hätte keine Rede zu halten, Mensch.

Ach du. Einziger Mensch. Sabine. Sagte er.
Hör auf, sagte sie.
Richtig, sagte er, im Zug, Sabine, im Zug.
Er fing an zu packen. Allmählich machte sie mit. Als sie zu Zürns ging, rief er ihr nach: Ein Taxi, in einer Viertelstunde. Die zierliche Frau Zürn und zwei ihrer großen Töchter standen und winkten, als Helmut, Sabine und Otto abfuhren. Dr. Zürn war, zum Glück, im Allgäu. Am Fahrkartenschalter sagte Helmut: Zweieinhalbmal Meran einfach. Meran, sagte Sabine und schüttelte den Kopf. Wieso denn Meran? Halt, Moment, sagte Helmut zu dem Beamten, meine Frau ist nicht einverstanden. Wohin denn dann, fragte Helmut. Nach ... nach Montpellier, sagte Sabine erschöpft. Zweieinhalbmal Montpellier, einfach, erster, sagte Helmut. Hoffentlich ist es dir da nicht zu heiß, sagte Helmut. Wenn die Mauern so dick sind, sagte Sabine und grinste ein bißchen.
Helmut küßte Sabine vorsichtig auf die Stirn. Otto gab einen Laut, als habe er zu leiden. Sabine sah Helmut so an, daß er sagen mußte: Du siehst durch mich hindurch wie durch ein leeres Marmeladeglas. Wart' noch. Im Zug. Sabine sagte: Heute nacht im Traum hätte ich wissen müssen, wie eine Zahl heißt, die durch keine andere mehr teilbar ist und habe es nicht

gewußt. Alle anderen haben es gewußt. Du auch. Aber auch du hast mir nicht geholfen. Er wühlte ein bißchen wiedergutmacherisch in ihren Haaren herum. Der Zug fuhr ein. Helmut sagte zu der farbigen Lokomotive, die ihm vorkam wie ein Ordensgeistlicher: Qui tollis peccata mundi.

Als sie ein Abteil gefunden hatten, in dem sie allein waren, sagte er: Sabine, jetzt können wir bis Basel sitzen bleiben.

Sabine sagte: Ich habe doch Angst vor der Hitze. Was tun wir, wenn es da drunten zu heiß ist.

Ach, sagte Helmut leichthin, Schatten zusammennähen.

Eine Weile saßen sie einander stumm gegenüber wie Fremde. Sie in Fahrtrichtung. Er mit dem Rücken zur Fahrtrichtung.

Was war jetzt eigentlich gestern, sagte sie.

Ein Schnellzug hobelte sich vorbei.

Das ist eine längere Geschichte, sagte er und schaute hinaus auf den Rhein. Der Rhein, sagte sie. Sie streckte sich ein wenig. Sie saß in der Abendsonne. Er im Schatten. Er hob den Ton an wie noch nie und sagte: Ach du. Einziger Mensch. Sabine. Er sah, daß sie das gern hörte. Das befähigte ihn zu einer weiteren, für sein Gefühl geradezu sprunghaften Tonanhebung.

Du Angeschienene, du, sagte er. Mit deiner Stärke, von der du nichts weißt. Aus den Jahren herausschauen wie aus Rosen, das sieht dir gleich.
Schön, sagte sie. Und jetzt?
Jetzt fange ich an, sagte er. Es tut mir leid, sagte er, aber es kann sein, ich erzähle dir alles von diesem Helmut, dieser Sabine.
Nur zu, sagte sie, ich glaube nicht, daß ich dir alles glaube.
Das wäre die Lösung, sagte er. Also bitte, sagte er. Es war so: Plötzlich drängte Sabine aus dem Strom der Promenierenden hinaus und ging auf ein Tischchen zu, an dem noch niemand saß.

Martin Walser
im Suhrkamp Verlag und
im Insel Verlag

Werke in zwölf Bänden. Herausgegeben von Helmut Kiesel in Zusammenarbeit mit Frank Barsch. Leinen in Kassette

Einzelausgaben

Die Anselm Kristlein Trilogie. Halbzeit. Das Einhorn. Der Sturz. 3 Bände in Kassette. st 684

Ansichten, Einsichten. Leinen

Auskunft. 23 Gespräche aus 26 Jahren. Herausgegeben von Klaus Siblewski. Erstausgabe. st 1871

Beschreibung einer Form. Versuch über Kafka. st 1891

Brandung. Roman. Leinen und st 1374

Brief an Lord Liszt. Roman. Engl. Broschur

Deutsche Sorgen. st 2658

Dorle und Wolf. Eine Novelle. Engl. Broschur und st 1700

Ehen in Philippsburg. Roman. BS 527 und st 1209

Eiche und Angora. Eine deutsche Chronik. es 16

Das Einhorn. Roman. st 159

Fingerübungen eines Mörders. Zwölf Geschichten. st 2324

Finks Krieg. Roman. Leinen

Ein fliehendes Pferd. Novelle. BS 819 und st 600

Ein fliehendes Pferd. Theaterstück. Mitarbeit Ulrich Khuon. es 1383

Ein Flugzeug über dem Haus. Und andere Geschichten. st 612

Die Gallistl'sche Krankheit. Roman. es 689

Gesammelte Geschichten. BS 900

Geständnis auf Raten. es 1374

Halbzeit. Roman. Leinen, st 94 (2 Bde.) und st 2657

Heilige Brocken. Aufsätze, Prosa, Gedichte. st 1528

Heimatkunde. Aufsätze und Reden. es 3315

In Goethes Hand. Szenen aus dem 19. Jahrhundert. Kartoniert

Jagd. Roman. Leinen und st 1785

Jenseits der Liebe. Roman. st 525

Kaschmir in Parching. Szenen aus der Gegenwart. Gebunden

Ein Kinderspiel. Stück in zwei Akten. es 400

Leseerfahrungen, Liebeserklärungen. Leinen

Liebeserklärungen. Leinen, st 1259 und it 1641

Lügengeschichten. st 1736

Martin Walser liest »Die Verteidigung der Kindheit«. Tonband-Kassette. 45 Minuten

24/1/4.97

Martin Walser
im Suhrkamp Verlag und
im Insel Verlag

Meßmers Gedanken. Leinen, BS 946 und st 2140
»Mit der Schwere spielen«. Ein Brevier. Ausgewählt von Hans Christian Kosler. Gebunden und st 2659
Ohne einander. Roman. Leinen, BS 1181 und st 2574
Die Ohrfeige. st 1457
Das Sauspiel. Szenen aus dem 16. Jahrhundert. Kartoniert
Das Schwanenhaus. Roman. Leinen und st 800
Seelenarbeit. Roman. Leinen, st 901 und st 2615
Selbstbewußtsein und Ironie. Frankfurter Vorlesungen. BS 1222
Das Sofa. Eine Farce. Engl. Broschur
Stücke. st 1309
Der Sturz. Roman. Leinen und st 322
Über Deutschland reden. es 1553
Umgang mit Hölderlin. Zwei Reden. IB 1176
Die Verteidigung der Kindheit. Roman. Leinen und st 2252
Vormittag eines Schriftstellers. Leinen und st 2510
Wer kennt sich schon. st 2453
Die Amerikareise. Versuch, ein Gefühl zu verstehen. Mit 51 farbigen Bildern von André Ficus. it 1243
Heimatlob. Ein Bodensee-Buch. it 645

Reden und Essays

Mein Schiller. Rede bei der Entgegennahme des Schiller-Gedächtnispreises 1981. Schallplatte
Jonathan Swift: Betrachtungen über einen Besenstiel. Ein Lesebuch zum 250. Todestag. Mit einem Essay von Martin Walser. Zusammengestellt von Norbert Kohl. it 1767
Der Unerbittlichkeitsstil. Rede zum 100. Geburtstag von Robert Walser. Schallplatte
Wie und wovon handelt Literatur. Aufsätze und Reden. es 642

Editionen, Nachworte

Maria Beig: Hochzeitslose. Roman. Mit einem Nachwort von Martin Walser. st 1163
Maria Beig: Rabenkrächzen. Eine Chronik aus Oberschwaben. Roman. Mit einem Nachwort von Martin Walser. st 911
Franz Kafka: Er. Prosa. Auswahl und Nachwort von Martin Walser. BS 97

24/2/4.97

Martin Walser
im Suhrkamp Verlag und
im Insel Verlag

Editionen, Nachworte

Lektüre zwischen den Jahren. Kennst Du Dich selbst? Ausgewählt von Martin Walser. Kartoniert

Arnold Stadler: Mein Hund, meine Sau, mein Leben. Roman. Mit einem Nachwort von Martin Walser. st 2575

Übersetzungen

Molière: Der eingebildete Kranke. Aus dem Französischen von Johanna Walser und Martin Walser. it 1014

Bernard Shaw: Band 1: Die Häuser des Herrn Sartorius. Komödie in drei Akten. / Frau Warrens Beruf. Stück in vier Akten. Deutsch von Harald Mueller und Martin Walser. st 1850

– Band 9: Falsch verbunden. Komödie in drei Akten. Deutsche Erstausgabe in der Übersetzung von Alissa Walser und Martin Walser. Mit der Vorrede des Autors »Eltern und Kinder«. st 1858

– Frau Warrens Beruf. Stück in vier Akten. Aus dem Englischen von Martin Walser. BS 918

Sophokles: Antigone. Übersetzt von Hölderlin. Bearbeitet von Martin Walser und Edgar Selge. it 1248

24/3/4.97

suhrkamp taschenbücher
Eine Auswahl

Adorno: Erziehung zur Mündigkeit. st 11
Aitmatow: Dshamilja. st 1579
Alain: Die Pflicht, glücklich zu sein. st 859
Allende: Eva Luna. st 1897
– Das Geisterhaus. st 1676
– Die Geschichten der Eva Luna. st 2193
– Von Liebe und Schatten. st 1735
The Best of H.C. Artmann. st 275
Augustin: Der amerikanische Traum. st 1840
Bachmann: Malina. st 641
Bahlow: Deutsches Namenlexikon. st 65
Ball: Hermann Hesse. st 385
Barnes: Nachtgewächs. st 2195
Barnet: Ein Kubaner in New York. st 1978
Barthes: Fragmente einer Sprache der Liebe. st 1586
Becker, Jürgen: Gedichte. st 690
Becker, Jurek: Bronsteins Kinder. st 1517
– Jakob der Lügner. st 774
Beckett: Endspiel. st 171
– Malone stirbt. st 407
– Molloy. st 229
– Warten auf Godot. st 1
– Watt. st 46
Beig: Hochzeitslose. st 1163
– Rabenkrächzen. Eine Chronik aus Oberschwaben. st 911
Benjamin: Angelus Novus. st 1512
– Illuminationen. st 345
Berkéwicz: Adam. st 1664
Berkéwicz: Josef stirbt. st 1125
– Maria, Maria. st 1809
Bernhard: Alte Meister. st 1553
– Auslöschung. Ein Zerfall. st 1563
– Beton. st 1488
– Claus Peymann kauft sich eine Hose und geht mit mir essen. st 2222
– Gesammelte Gedichte. st 2262
– Holzfällen. st 1523
– Stücke 1-4. st 1524, 1534, 1544, 1554
– Der Untergeher. st 1497
– Verstörung. st 1480
Blackwood: Der Tanz in den Tod. st 848
Blatter: Das blaue Haus. st 2141
– Wassermann. st 1597
Brasch: Der schöne 27. September. st 903
Braun, Volker: Gedichte. st 499
– Hinze-Kunze-Roman. st 1538
Brecht: Dreigroschenroman. st 1846
– Gedichte über die Liebe. st 1001
– Geschichten vom Herrn Keuner. st 16
– Hauspostille. st 2152
Bertolt Brechts Dreigroschenbuch. st 87
Broch: Die Verzauberung. st 350
– Die Schuldlosen. st 209
Buch: Die Hochzeit von Port-au-Prince. st 1260
– Tropische Früchte. st 2231
Burger: Der Schuß auf die Kanzel. st 1823
Cabrera Infante: Drei traurige Tiger. st 1714

265/1/11.93

suhrkamp taschenbücher
Eine Auswahl

Capote: Die Grasharfe. st 1796
Carpentier: Explosion in der Kathedrale. st 370
– Die Harfe und der Schatten. st 1024
Carroll: Schlaf in den Flammen. st 1742
Celan: Gesammelte Werke in fünf Bänden. st 1331/1332
Cioran: Syllogismen der Bitterkeit (1952). st 607
Clarín: Die Präsidentin. st 1390
Cortázar: Bestiarium. st 543
– Die Gewinner. st 1761
– Ein gewisser Lukas. st 1937
– Rayuela. st 1462
Dalos: Die Beschneidung. st 2166
Dorst: Merlin oder Das wüste Land. st 1076
Duerr: Sedna oder die Liebe zum Leben. st 1710
Duras: Hiroshima mon amour. st 112
– Der Liebhaber. st 1629
– Der Matrose von Gibraltar. st 1847
– Sommerregen. st 2284
Eich: Fünfzehn Hörspiele. st 120
Eliade: Auf der Mântuleasa-Straße. st 1826
Elias: Mozart. st 2198
– Über den Prozeß der Zivilisation. Soziogenetische und psychogenetische Untersuchungen. st 2259
Enzensberger: Ach Europa! st 1690
– Gedichte. st 1360
– Mittelmaß und Wahn. st 1800
Enzensberger: Zukunftsmusik. st 2223
Federspiel: Geographie der Lust. st 1895
– Die Liebe ist eine Himmelsmacht. st 1529
Feldenkrais: Abenteuer im Dschungel des Gehirns. st 663
– Bewußtheit durch Bewegung. st 429
– Die Entdeckung des Selbstverständlichen. st 1440
– Das starke Selbst. st 1957
Fleißer: Abenteuer aus dem Englischen Garten. st 925
– Eine Zierde für den Verein. st 294
Frisch: Gesammelte Werke in zeitlicher Folge. 7 Bde. st 1401-1407
– Andorra. st 277
– Homo faber. st 354
– Mein Name sei Gantenbein. st 286
– Montauk. st 700
– Stiller. st 105
– Der Traum des Apothekers von Locarno. st 2170
Fromm / Suzuki / Martino: Zen-Buddhismus und Psychoanalyse. st 37
Fuentes: Nichts als das Leben. st 343
Gandhi: Mein Leben. st 953
García Lorca: Dichtung vom Cante Jondo. st 1007
Goetz: Irre. st 1224
Gulyga: Immanuel Kant. st 1093
Handke: Die Angst des Tormanns beim Elfmeter. st 27

265/2/11.93

suhrkamp taschenbücher
Eine Auswahl

Handke: Der Chinese des Schmerzes. st 1339
– Der Hausierer. st 1959
– Kindergeschichte. st 1071
– Langsame Heimkehr. Tetralogie. st 1069-1072
– Die linkshändige Frau. st 560
– Die Stunde der wahren Empfindung. st 452
– Versuch über den geglückten Tag. st 2282
– Versuch über die Jukebox. st 2208
– Versuch über die Müdigkeit. st 2146
– Wunschloses Unglück. st 146
Hesse: Gesammelte Werke. 12 Bde. st 1600
– Demian. st 206
– Das Glasperlenspiel. st 79
– Klein und Wagner. st 116
– Klingsors letzter Sommer. st 1195
– Knulp. st 1571
– Die Morgenlandfahrt. st 750
– Narziß und Goldmund. st 274
– Die Nürnberger Reise. st 227
– Peter Camenzind. st 161
– Schön ist die Jugend. st 1380
– Siddhartha. st 182
– Der Steppenwolf. st 175
– Unterm Rad. st 52
– Der vierte Lebenslauf Josef Knechts. st 1261
Hettche: Ludwig muß sterben. st 1949
Hildesheimer: Marbot. st 1009
– Mitteilungen an Max über den Stand der Dinge. st 1276
– Tynset. st 1968
Hohl: Die Notizen. st 1000
Horváth: Gesammelte Werke. 15 Bde. st 1051-1065
– Jugend ohne Gott. st 1063
Hrabal: Ich habe den englischen König bedient. st 1754
– Das Städtchen am Wasser. st 1613-1615
– Tanzstunden für Erwachsene und Fortgeschrittene. st 2264
Hürlimann: Die Tessinerin. st 985
Inoue: Die Eiswand. st 551
– Der Stierkampf. st 944
Johnson: Das dritte Buch über Achim. st 169
– Mutmassungen über Jakob. st 147
– Eine Reise nach Klagenfurt. st 235
Jonas: Das Prinzip Verantwortung. st 1085
Joyce: Anna Livia Plurabelle. st 751
Kaminski: Flimmergeschichten. st 2164
– Kiebitz. st 1807
– Nächstes Jahr in Jerusalem. st 1519
Kaschnitz: Liebesgeschichten. st 1292
Kiefer: Über Räume und Völker. st 1805
Kirchhoff: Infanta. st 1872
– Mexikanische Novelle. st 1367
Koch: See-Leben. st 783
Koeppen: Gesammelte Werke in 6 Bänden. st 1774
– Jakob Littners Aufzeichnungen aus einem Erdloch. st 2267

265/3/11.93

suhrkamp taschenbücher
Eine Auswahl

Koeppen: Tauben im Gras. st 601
– Der Tod in Rom. st 241
– Das Treibhaus. st 78
Konrád: Der Komplize. st 1220
– Melinda und Dragoman. st 2257
Kracauer: Die Angestellten. st 13
– Kino. st 126
Kraus: Schriften in 20 Bänden. st 1311-1320, st 1323-1330
– Die letzten Tage der Menschheit. st 1320
– Literatur und Lüge. st 1313
– Sittlichkeit und Kriminalität. st 1311
Karl-Kraus-Lesebuch. st 1435
Kundera: Abschiedswalzer. st 1815
– Das Buch vom Lachen und vom Vergessen. st 2288
– Das Leben ist anderswo. st 1950
Laederach: Laederachs 69 Arten den Blues zu spielen. st 1446
Least Heat Moon: Blue Highways. st 1621
Lem: Die Astronauten. st 441
– Frieden auf Erden. st 1574
– Der futurologische Kongreß. st 534
– Das Katastrophenprinzip. st 999
– Lokaltermin. st 1455
– Robotermärchen. st 856
– Sterntagebücher. st 459
– Waffensysteme des 21. Jahrhunderts. st 998
Lenz, Hermann: Die Augen eines Dieners. st 348
Leutenegger: Ninive. st 685
Lezama Lima: Paradiso. st 1005
Lovecraft: Berge des Wahnsinns. st 1780
– Der Fall Charles Dexter Ward. st 1782
– Stadt ohne Namen. st 694
Mastretta: Mexikanischer Tango. st 1787
Mayer: Außenseiter. st 736
– Ein Deutscher auf Widerruf. Bd. 1. st 1500
– Ein Deutscher auf Widerruf. d. 2. st 1501
– Georg Büchner und seine Zeit. st 58
– Thomas Mann. st 1047
– Der Turm von Babel. st 2174
Mayröcker: Ausgewählte Gedichte. st 1302
Meyer, E. Y.: In Trubschachen. st 501
Miller: Am Anfang war Erziehung. st 951
Das Drama des begabten Kindes. st 950
– Du sollst nicht merken. st 952
Morshäuser: Die Berliner Simulation. st 1293
Moser: Grammatik der Gefühle. st 897
– Körpertherapeutische Phantasien. st 1896
– Lehrjahre auf der Couch. st 352
– Vorsicht Berührung. st 2144
Muschg: Albissers Grund. st 334
– Fremdkörper. st 964
– Im Sommer des Hasen. st 263
– Das Licht und der Schlüssel. st 1560

265/4/11.93

suhrkamp taschenbücher
Eine Auswahl

Museum der modernen Poesie. st 476
Neruda: Liebesbriefe an Albertina Rosa. st 829
Nizon: Im Bauch des Wals. st 1900
Nooteboom: In den niederländischen Bergen. st 2253
– Mokusei! Eine Liebesgeschichte. st 2209
O'Brien: Der dritte Polizist. st 1810
Onetti: So traurig wie sie. st 1601
Oz: Bericht zur Lage des Staates Israel. st 2192
– Black Box. st 1898
– Eine Frau erkennen. st 2206
– Der perfekte Frieden. st 1747
Paz: Essays. 2 Bde. st 1036
– Gedichte. st 1832
Penzoldt: Idolino. st 1961
Percy: Der Idiot des Südens. st 1531
Plenzdorf: Legende vom Glück ohne Ende. st 722
– Die neuen Leiden des jungen W. st 300
Poniatowska: Stark ist das Schweigen. st 1438
Praetorius: Reisebuch für den Menschenfeind. st 2203
Proust: Auf der Suche nach der verlorenen Zeit. 10 Bde. st
Puig: Der Kuß der Spinnenfrau. st 869
– Der schönste Tango der Welt. st 474
Ribeiro: Brasilien, Brasilien. st 1835
Rochefort: Zum Glück gehts dem Sommer entgegen. st 523
Rodoreda: Auf der Plaça del Diamant. st 977
Rothmann: Stier. st 2255
Rubinstein: Nichts zu verlieren und dennoch Angst. st 2230
Russell: Eroberung des Glücks. st 389
Sanzara: Das verlorene Kind. st 910
Semprún: Die große Reise. st 744
– Was für ein schöner Sonntag. st 972
Sloterdijk: Der Zauberbaum. st 1445
Späth: Stilles Gelände am See. st 2289
Sternberger: Drei Wurzeln der Politik. st 1032
Strugatzki / Strugatzki: Die häßlichen Schwäne. st 1275
– Eine Milliarde Jahre vor dem Weltuntergang. st 1338
Tendrjakow: Die Abrechnung. st 965
Unseld: Der Autor und sein Verleger. st 1204
– Begegnungen mit Hermann Hesse. st 218
Vargas Llosa: Der Geschichtenerzähler. st 1982
– Der Hauptmann und sein Frauenbataillon. st 959
– Der Krieg am Ende der Welt. st 1343
– Lob der Stiefmutter. st 2200
– Tante Julia und der Kunstschreiber. st 1520

265/5/11.93